coleção fábula

Nastassja Martin

Escute as feras

Tradução de
Camila Vargas Boldrini e Daniel Lühmann

editora■34

A todos os seres da metamorfose, aqui e lá.

*Pois fui, durante um tempo, menino e menina,
árvore e pássaro, e peixe perdido no mar.*
Empédocles, *Da natureza*,
fragmento 117

Outono

O urso, a essa altura, já se foi há muitas horas, e eu espero, espero a bruma se dissipar. A estepe está vermelha, as mãos estão vermelhas, o rosto intumescido e dilacerado já não é o mesmo. Como nos tempos do mito, é a indistinção que reina, sou essa forma incerta de traços desaparecidos sob as brechas abertas no rosto, coberta de humores e de sangue: é um nascimento, pois claramente não é uma morte. À minha volta, tufos de pelo marrom solidificados pelo sangue seco recobrem o chão, recordam o combate recente. Faz oito horas, talvez mais, que espero o helicóptero do exército russo atravessar o nevoeiro para vir me buscar. Garroteei minha perna com a alça da mochila quando o urso fugiu, Nikolai me ajudou a enfaixar o rosto quando me encontrou, esvaziou sobre a minha cabeça nossas preciosas reservas de *spirt*, que me escorreram por toda a face junto com as lágrimas e o sangue. Depois me deixou sozinha, pegou meu pequeno Alcatel de campo para chamar o socorro do alto de um promontório, pensando, certamente, na rede instável, no telefone antigo, nas antenas distantes, que tudo isso funcione, porque os vulcões nos cercam, eles, que há apenas alguns instantes celebravam nossa liberdade e que agora acentuam nosso aprisionamento.

Sinto frio. Tateio à procura do meu saco de dormir, me agasalho como posso. Meu espírito parte na direção do urso, volta para cá, gira, constrói vínculos, analisa e esmiúça, faz planos mirabolantes de sobrevivente. Por dentro, isso deve parecer uma proliferação incontrolável de sinapses que enviam e recebem informações mais rápido que nunca, o ritmo é o do sonho, luminoso, fulgurante, autônomo e ingovernável, porém nada nunca foi tão real nem mais atual. Os sons que capto são amplificados, escuto como a fera, eu sou a fera. Por um momento me pergunto se o urso vai voltar para dar cabo de mim, ou para que eu dê cabo dele, ou, ainda, para morrermos os dois num último abraço. Mas eu já sei, eu sinto, que isso não vai acontecer, que ele agora está longe, que cambaleia na estepe de altitude, que o sangue goteja sobre sua pelagem. À medida que ele se distancia e que eu volto a mim, nós nos recobramos um do outro. Ele sem mim, eu sem ele: conseguir sobreviver apesar do que ficou perdido no corpo do outro; conseguir viver com aquilo que nele foi depositado.

Eu o ouço muito antes de ele chegar. Ele é inaudível para Nikolai e Lanna, que me encontraram há pouco, ele está chegando, eu digo, não, não é nada, eles respondem, somente nós na imensidão com a bruma que sobe e desce. Porém, alguns minutos depois, um monstro de metal laranja, sobrevivente da época soviética, vem nos arrancar do local.

É noite em Kliutchí, o fundo concreto da noite. *Kliutchí*. O "vilarejo-chave". O centro de treinamento, a base secreta do exército russo na região de Kamtchátka. Eu não deveria saber que é sobre esse pobre pedaço de terra que, de Moscou, eles lançam bombas toda semana para medir seu alcance e atingir as margens americanas do estreito em caso de guerra. Também não deveria saber que todos os indígenas do rincão — evens, coriacos, itelmenos ou o que resta deles — estão arregimentados aqui porque, sem renas e sem florestas, o absurdo vira a norma, e eles acabam combatendo por seus algozes. Só que eu sei, desde o começo, sei disso porque é meu ofício saber esse tipo de coisa. Os evens, cujo cotidiano florestal compartilho há vários meses, me contaram sobre as bombas que explodem perto do dormitório, à noite. Eles riram das minhas perguntas, me escrutinaram com o olhar, várias vezes me trataram como espiã, gentilmente, rudemente, ironicamente, eles me fizeram desempenhar todos os papéis, mas sempre me disseram tudo. O vilarejo, o álcool, as brigas, a floresta que se distancia e, com ela, a língua materna que aos poucos é esquecida, o trabalho que falta, a pátria que salva — e que propõe a eles, em troca, o campo de Kliutchí.

Ironia do destino. O ambulatório se encontra no vilarejo-chave, foi aqui que aterrissamos, atrás dos arames farpados e das cercas, atrás dos postos de observação, na toca do lobo. Eu, que ria por dentro por saber todas essas coisas proibidas sobre esse lugar secreto, me encontro bem no coração do dispositivo de atendimento aos soldados e feridos da quase-guerra em curso aqui.

É uma senhora quem fecha as minhas feridas. Eu a vejo manejar o fio e a agulha com um cuidado infinito. Passei do estágio da dor, não sinto mais nada, mas continuo consciente, nem uma gota me escapa, estou lúcida para além da minha humanidade, separada do meu corpo e ainda habitando nele. *Vsió búdiet khorochó*, vai ficar tudo bem. A voz dela, as mãos dela, isso é tudo. Vejo meus longos cabelos loiros e ruivos caindo em tufos aos meus pés à medida que ela os corta para poder costurar as feridas da cabeça, que não rachou por milagre; luto para discernir uma luz, mas há pouca coisa a fazer, o fundo da noite é opaco, doloroso, infinito, não se sai dele facilmente. É então que eu o vejo. O homem gordo e suado que acaba de entrar no quarto ergue seu telefone na minha direção, tira uma foto minha, quer imortalizar o instante. Então o horror tem mesmo um rosto, que não é o meu, mas o dele. Eu me enfureço. Quero me atirar sobre ele, rasgar seu ventre, arrancar suas tripas e pregar o maldito telefone em sua mão para obrigá-lo a fazer a *selfie* mais bonita da sua vida bem no momento de perdê-la, mas não posso. Só consigo resmungar para que ele pare e escondo desajeitadamente meu rosto, estou destruída, despedaçada. A velha senhora entende, empurra-o para fora e fecha a porta, as pessoas, ela diz, você sabe como elas são.

O restante da noite se passa assim, com ela, costura-se, lava-se, corta-se, costura-se de novo, eu perco a noção do tempo, ele escorre, nós duas flutuamos em um oceano sombrio cheirando a álcool, embaladas por uma marola que sobe e desce. No meio do dia seguinte, eles vêm me buscar, o helicóptero está lá, vão me transferir para Petropávlovsk. Um arremedo de bombeiro russo aporta, grande, sorridente, roupas vermelhas, tranquilizador. Ele me oferece uma cadeira de rodas, eu recuso, me levanto, me apoio em seus ombros para descer as escadas, branco cinza branco cinza, passar pela porta, chegar ao cimento. Ali, pessoas aglutinadas que vieram admirar o espetáculo estão à espreita com seus telefones, escondo de novo o rosto com minha mão livre, evito os *flashes* e, amparada pelo meu salvador, me engolfo pela segunda vez no ventre do helicóptero.

A viagem acontece numa semiconsciência, lembro que sinto frio, que tenho dificuldade para respirar com o sangue que me escorre pela garganta. Ao chegar, os médicos me forçam a deitar numa maca, de costas. Digo a eles que não posso, que assim não consigo respirar, mas eles teimam, vários se juntam para me segurar, é como se todo o pessoal do atendimento estivesse ali, eu sufoco. Gritos, urros, sinto uma picada no meu braço imobilizado, então, de repente, tudo para, as luzes vacilam, perco a consciência pela primeira vez desde o urso, mais nada, mais nada de nada, o vazio, o branco, sem sonho.

Quando acordo, estou completamente nua, sozinha, presa à cama. Correias contêm meus pulsos e meus tornozelos. Examino a situação. Estou em uma grande sala branca e decrépita, com camas vazias alinhadas à minha, parece um daqueles velhos ambulatórios da época soviética, algumas vozes ressoam ao longe. Um tubo passa pelo meu nariz, pela minha garganta; levo um bom tempo para entender por que respiro de forma tão estranha e o que é aquela coisa de plástico verde e branco presa ao meu pescoço: traqueostomia. No meu semidelírio, espero a qualquer momento ver chegar o doutor Jivago, o cenário está pronto. Mas é uma enfermeira loira que chega, sorridente. Nastinka, você vai sair dessa, ela diz. Depois dela, aparece um homem de costas grandes e largas, botas a estalar nos ladrilhos do piso, corrente de ouro, dentes de ouro, relógio de ouro. É o médico-chefe, dá para ver, é ele quem está no controle das operações presentes e futuras, da minha camisa de força e de todo o resto. Preciso tê-lo na palma da mão, pensei imediatamente.

Ele até que é simpático, com seu sorriso amarelo de rei de hospital. Ele me parabeniza: ninguém entende como é possível que você esteja viva, mas você está, então, parabéns. *Molodiêts*. Você é uma mulher muito forte, acrescenta ele. Respondo que eu só queria que me tirassem as amarras. Isso não, não é possível, você fica assim, é para protegê-la de si mesma. Então, tá. Os dois dias seguintes são um calvário. O tubo que atravessa minha garganta me dói terrivelmente, e a enfermeira sorridente do começo desapareceu, é uma outra, bem jovem, jovem demais, quem cuida de mim. A enfermeira-chefe a vigia vagamente, é preciso aprender... a novata se torna meu pior pesadelo. É uma obsessão, eu só penso nisso: como desatar os nós que me travam. Invento métodos improváveis assim que minhas cuidadoras desaparecem atrás da porta. Em duas ocasiões consigo me soltar, arranco o tubo que transfere para o meu estômago uma papa marrom e preta, dessa cor eu me lembro. Tem que dar de comer, escuto gritos nos corredores nos fins de tarde. Você deu de comer?, pergunta a enfermeira-chefe à aprendiz. "Dar de comer" é o termo. *Kormít.* Revejo meu velho amigo Ilo, em Manach, que do fundo da iurta chama seu sobrinho Nikita: Você deu de comer aos cães? Vá dar de comer aos cães! *Idí kormít!* Desde então, não consigo mais ouvir pronunciarem essa palavra sem que um espasmo me suba do fundo do ventre. Eu me lembro com clareza daqueles olhos escuros e viciosos de moça recém-saída da infância, me olhando maldosamente; eu a vejo de novo injetar de maneira brusca a comida no tubo, ela quer me punir e ela se vinga, da minha existência, da existência miserável dela, vai saber, de tudo o que não lhe obedece e de tudo o que lhe resiste, ela me mostra que, pelo menos dessa vez, ela tem o poder.

Ao atingir brutalmente meu estômago, a papa me faz gritar de dor. As lágrimas escorrem pelo meu rosto, nunca estive assim tão impotente, à mercê dos homens, das mulheres e mesmo das garotas, despida, amarrada, empanturrada, estou na fronteira da humanidade, no limiar, acredito, do que se pode suportar. A enfermeira-chefe, alertada pelos meus gritos, entra na sala, se aproxima e repreende sua pupila, que me lança um olhar assassino. Penso que elas estão me fazendo pagar caro pela minha sobrevivência de mulher diante do urso. Você está com dor?, indaga a enfermeira. Sim!, afirmo com toda a convicção de que sou capaz, na esperança de que ela me dê alguma coisa, qualquer coisa, uma droga que atenue um pouco meu sofrimento. Então aguente firme, *potierpí*, diz ela voltando a seus afazeres. *Potierpí* eu também não consigo mais escutar.

É então, depois do episódio da papa, que decido depor as armas; ou que entrego as armas, porque não tenho escolha. Me empenho em me comportar como um anjo, não protestar, nada pedir e nada esperar, suportar a dor, o tubo e o resto, até que isso passe, ou melhor, até que se passe alguma coisa. Não fosse essa música que ressoa no quarto, fazendo ouvir a cada três segundos um rufar seguido de uma batida seca, como o fundo de uma sinfonia desagradável, eu poderia me concentrar mais facilmente nas circunstâncias da minha pacificação. Ao me informar sobre a natureza dessa sinfonia repetitiva, descubro que um estudo científico muito antigo, mas muito sério, provou que esse réquiem, tocando sem parar, ajudava os pacientes a não se esquecerem de respirar: rrrrrrrrrrrouuuuuullllllllllllllll Klang! rrrrrrrrrrrrrouuuullllllllllllllll Klang! E respiramos. Decididamente. Estou no coração do sistema de saúde russo. Especificidade do Grande Leste, ainda aferrado aos velhos métodos? Duvido que, no hospital de Moscou, os pacientes da ala de recuperação escutem a mesma ária que eu. Mas também eles não se encontram nesse ambulatório com ares de *gulag*. Me ocorre que ninguém vai acreditar em mim quando eu contar, se eu sair, se eu sair dessa. Penso: quando puder, vou escrever isso.

Felizmente minhas noites são mais divertidas, mas não menos surrealistas. Annia substitui Inna, Iúlia toma seu lugar. Toda noite é a mesma coisa. A enfermeira que me vigia fica sentada em uma mesinha escolar, no fundo da sala. Na penumbra, com uma minúscula lamparina iluminando seu trabalho, ela confecciona compressas. Ela corta, ela dobra, corta e dobra novamente. Nada é dado aqui. Tudo é feito por mãos de mulher. Toda noite, mais ou menos na mesma hora, o nome da enfermeira de plantão ressoa vindo do outro quarto, é uma voz masculina que chama. Annia! Ela se levanta indolentemente, dá uma conferida na minha cama, depois passa para o outro lado. Não preciso esticar a orelha por muito tempo para entender o que se apronta. Gemidos mal abafados chegam até mim, grunhidos masculinos, o médico-chefe anima seus plantões. Toda noite é o mesmo lance, só muda o nome: Iúlia! Inna! Isso explica aquilo. A primeira vez que vi o médico-chefe beijar uma das minhas enfermeiras na boca em plena luz do dia (embora nessa parte da ala de recuperação claramente só exista eu como testemunha ocular), acreditei ingenuamente que era sua namorada, um médico e uma enfermeira, afinal de contas, por que não? Ao perceber que todas as enfermeiras beijavam o médico-chefe na boca sistematicamente, pensei, em seguida, que se tratava de um costume local: os evens se beijam na boca para cumprimentar-se quando pertencem a uma mesma família. Com os gemidos repetidos noite após noite, minhas elucubrações vacilaram. Devia tratar-se de uma outra forma de costume desconhecido. Quanta animação! Foi com essas considerações sexuais que minha vida de humana voltou a imperar, que eu saí desse lugar entre dois mundos, que estranho, voltar a si escutando os outros fazendo amor toda noite. Foi o começo de uma atenuação dos sofrimentos.

Satisfeitas com minha docilidade dos últimos dias, as enfermeiras enfim me desamarram. Não vai tirar o tubo? Não, não vou tirar nada, vou apenas tocar meu corpo nu para me lembrar de suas formas. Nesse dia alcanço outra vitória: a enfermeira aceita desligar a sinfonia respiratória. É uma libertação.

Radiantes com minha boa conduta, outros médicos (todos homens), sempre acompanhados do médico-chefe, que vigia sua sobrevivente como panela no fogo, vêm me fazer uma visita. Conversam, eu estendida na cama, puxando meu minguado lençol o mais para cima possível para esconder meus seios; eles na minha cabeceira ou ao pé da cama. Visivelmente estou melhor. Claro que eles ainda se recusam a devolver meus pertences, sobretudo meu telefone é proibido nesta ala, afirmam eles. Explico que estou entediada à beça. Vocês não teriam nada para eu me ocupar, qualquer coisa, um livro? Um dos médicos pensa e depois volta com um livro de piadas sobre a medicina, os pacientes, as equipes de saúde russas. A capa é preta, o texto é escrito em letras bem grandes, esqueci o título. Desculpe, só tenho este aqui... ele parece aborrecido. Não tem problema, na verdade é perfeito, eu fico com ele, digo.

    Eles não voltam. Nastinka lê, cinco dias depois de ter acordado, cinco dias depois do seu corpo a corpo com o urso, ela lê. E são piadas, ainda por cima! Eles devem ter combinado, porque começa na sala um verdadeiro desfile. Eles vêm me ver debruçada sobre o livro, me perguntam se é engraçado, muito, respondo toda vez. Eles passam para me dar bom-dia, me parabenizar. No final do dia seguinte, o médico-chefe aparece, ele empurra uma pequena televisão em cima de um carrinho. Pronto, ele diz. Assim você vai poder ver coisas mais interessantes!

    A enfermeira a coloca ao pé da cama, liga em qualquer canal e me deixa sozinha diante da telinha. Alucinada, fixo o olhar nas imagens que desfilam, sem que de início elas imprimam suas marcas em mim; é tão absurdo que não consigo acreditar no que vejo. O filme que me aparece na decrépita ala de recuperação de Petropávlovsk fala de Nastinka (é assim que ela se chama na história), ela procura o amado na floresta e não o encontra, ela chama, chama, mas como ela não tem como saber que aquele a quem procura, vítima de alguma maldição, se transformou em urso, ela não o reconhece quando finalmente o encontra. Ele morre de tristeza por não poder se fazer visível para ela, visível por dentro.

    Entro num estado de estupor diante dessa Chapeuzinho Vermelho que leva meu nome, perseguida por esse urso apaixonado que não pode mais lhe falar; urso que ela também persegue sem saber, sem saber que aquele que ela ama já trocou de pele. Eles estão condenados a viver em mundos diferentes, não se entendem mais. As duas almas, ou aquilo que lhes vai por dentro, estão, a partir de agora, presas em uma pele *alter* que não responde mais às mesmas expressões de existência. Penso na minha história. No meu nome even, *mátukha*.[1] No beijo do urso em meu rosto, nos seus dentes que se fecham em minha face, no meu maxilar que estala, no meu crânio que estala, na escuridão dentro da sua boca, no seu calor úmido e no seu hálito carregado, no aperto de seus dentes que se soltam, no meu urso que, bruscamente, inexplicavelmente, muda de opinião, seus dentes não serão os instrumentos de minha morte, ele não me engolirá.

Uma lágrima escorre em meu rosto, meus olhos lívidos continuam fixos na tela, que agora não faz nada além de refletir minha própria vida. Estou diante do espelho. Não existem mais absurdos, estranhezas, coincidências fortuitas. Existem apenas ressonâncias.
Nesse momento a enfermeira chega, dá uma olhada na minha cama, vê lágrimas no meu olhar ausente, dá uma olhada na tela. Ela aperta os cantos da boca, contrariada. Isso não está caindo bem, ela diz. Um silêncio. Desligamos? Desligamos.

Como o urso foi embora com um pedaço do meu maxilar, que ele guardou no dele, e como também quebrou meu zigomático direito, será necessário operar novamente, em breve. Quando cheguei, eles fixaram uma placa no osso para segurar o ramo mandibular inferior direito; é preciso agora reconstruir a maçã do rosto. Por que isso não foi feito antes é um mistério, mas o médico-chefe me garantiu hoje cedo que eu poderei em seguida sair da ala de recuperação, respirar normalmente, poderei até mesmo "comer sozinha", acrescenta ele com um sorriso nos lábios.

[1] A palavra feminina even *mátukha* significa "ursa". Pronuncia-se o *kh* como o *jota* espanhol.

Faz agora vários dias que peço, sem sucesso, que me devolvam meus pertences, sobretudo o telefone, para eu poder contatar minha família. Porém, nesse dia, o assistente do médico-chefe irrompe e se precipita na direção da minha cama. Você conhece um tal de Charles? A esperança renasce de repente, minhas palavras se atropelam quando tento explicar para ele. Charles, meu companheiro de pesquisa, meu amigo, meu camarada no laboratório de antropologia social, Charles, com quem eu vim aqui para Kamtchátka pela primeira vez, Charles, que deve estar com muito medo, muito medo por mim nesse momento preciso. Diga a ele que estou bem diga a ele que não morri diga a ele... Ele me corta. Na próxima vez que ele telefonar, diremos.

No dia seguinte o assistente volta, fleumático. Falamos com Charles. Ele diz que sua mãe e seu irmão estão chegando. Lágrimas de alegria escorrem pelo meu rosto inchado, costurado, meu rosto que deve reluzir como um sol vermelho de fim de tarde, esperei muito por eles, chamei muito por eles com as palavras silenciosas do coração que atravessam as terras os oceanos. Minha pobre mãe. Que tanto se preocupou com a filha que sempre ia para Deus sabe onde nesses últimos quinze anos, para o Alasca, para Kamtchátka, para as montanhas, no meio das florestas ou sob os mares, sempre metida em uma situação perigosa e incerta; minha mãezinha, pela primeira vez eu concordo com todas as suas preocupações de mãe, ela talvez não estivesse errada. Da minha cama no meu quarto em ruínas, me ponho em seu lugar e é ainda pior, quase insuportável, tenho que parar de me embrenhar no seu coração de mãe para poder continuar, senão afundo. Eu me lembro claramente de uma de suas frases logo antes de eu ir a campo de novo esse ano, uma frase lançada sem um sorriso, com a autoridade da mãe que sabe que sua filha está se desagregando, sendo aspirada por esse outro mundo do qual ela nada conhece, mas do qual ela pressente a potência, a influência, a fascinação; a filha se defende, evidentemente, "sou antropóloga", ela não para de repetir, não estou fascinada, não me perco no meu campo, continuo sendo eu mesma, todas essas coisas das quais nos convencemos porque, caso contrário, nunca partiríamos. Minha mãe, portanto, que tinha me dito, faz muitos meses: se você não voltar dessa vez, sou eu que vou buscá-la. Só de saber que ela está em algum lugar entre a França, a Sibéria e Kamtchátka, meu coração explode de alegria e de tristeza ao mesmo tempo. Penso no Niels com minha mãe. Meu irmão mais velho que faz as vezes de protetor, meu irmão que sempre foi mais frágil do que eu atrás de sua grande estatura, meu gigante com pés de barro, titã de emoção e de sensibilidade que se ignora, felizmente mamãe está ao lado dele, eu disse a mim mesma. Ela sempre será a mais forte de nós três. Minha mãe viveu outras guerras, e, mesmo que ninguém ainda saiba ao certo, essa aqui desemboca num nascimento, não numa morte.

Nessa noite, a última na ala de recuperação, gritos inesperados movimentam minha madrugada. Recolheram das ruas alguém que estava muito bêbado, além do imaginável. Ou talvez ele tenha chegado por conta própria, quem sabe. De qualquer forma, ele está ocupando o quarto ao lado. Eu o ouço, eu o escuto, é uma inacreditável ladainha que começa e só vai parar de manhã cedo. A enfermeira de plantão trocou as mãos sebosas do médico-chefe por outras injúrias; é uma gritaria sem fim nos corredores, é um insulto. Uma porta bate, o homem ao lado fica trancado; e ele começa a cantar. Um longo canto melancólico que fala sobre os tempos antigos, o *kolkhoz*, o Exército Vermelho, as vacas, o leite, as renas, os livros e o cinema, as peles e a cooperativa, a vodca. Eu adoraria ver seu rosto, ver o desgosto que faz estremecer sua voz, entrecortada por soluços. Que mundo será que ele chora? Que idade será que ele tem para chorar esses tempos passados? Eu o imagino com uma garrafa na mão algumas horas antes, cambaleando nos sulcos lamacentos de uma das vias esburacadas da cidade, sob as luzes macilentas de um daqueles supermercados que brotaram do chão há menos de cinco anos, medrando ali em meio aos edifícios da época soviética rachados de cima a baixo, testemunhando um mundo que mudou rápido demais e que já desmorona antes mesmo de ter atingido sua maturidade predatória.

Escuto meu vizinho de quarto delirar e sou transportada a Tvaián, dentro da iurta. Revejo o velho Vássia nas primeiras horas da manhã, sentado sobre uma pele de rena, os olhos semicerrados, provavelmente retido naquela paralisia que precede o despertar, lá onde os sonhos ainda conservam todo o seu domínio sobre nosso corpo. *Kolkhoz direktor, Krásnaia Ármiia, sovkhoz direktor*, muitas vezes sem parar. Diretor do *kolkhoz*, Exército Vermelho, diretor do *sovkhoz*, repete ele sem descanso balançando-se lentamente na luz da aurora que penetra pelo teto. Eu me lembro de ter ficado impressionada com a dimensão do choque, da colisão, entre o hemiciclo da iurta, as chamas do fogo que contam as coisas do invisível, essas que Vássia sabe traduzir à noite em algumas palavras pronunciadas com toda a suavidade, e a modernidade soviética, que se infiltrou até nos sonhos dos humanos mais afastados, dos mais diferentes, dos menos preparados. Uma história gira nos abismos de Vássia. Que porção de lembrança, que detalhe de encontro, que fragmento de ocorrência? Não sei se meu colega de ala na recuperação é even, itelmeno, coriaco ou russo; sei, em compensação, que ele fica remoendo o mesmo peso já passado que meu velho amigo de Tvaián.

A última operação se aproxima. Toda uma multidão se amontoa em volta da minha cama. A atmosfera é alegre. São ao menos dez, entre médicos e enfermeiras, eles vêm trabalhar ou só observar, falam comigo, estão animados, você sabe que vai sair em breve e que vai para o hospital normal?, dispara um deles enquanto prepara a anestesia. O médico-chefe, de camisa aberta, o torso peludo cheio de correntes de ouro, entra em cena. Vai correr tudo bem, diz ele, arregaçando as mangas. Sorriso amarelo brilhante, piscadela. Em seguida, pela segunda vez desde o urso, as luzes giram.

Quando acordo, penso por um instante que ainda estou sonhando sob o efeito da sedação, de tanto que a cena é cômica. Todas as camas ao redor da minha foram afastadas, um *rock'n'roll* russo toca no quarto. Já não há mais ninguém, apenas essa enfermeira que passa pano no chão dançando e cantando a plenos pulmões. Eu me ponho a rir. Nástia, você acordou!, ela grita para mim. Pronto você sai é hoje você vai sair vamos acorde direito já já vão vir buscá-la!

Mais tarde o médico-chefe volta. Muito bem, diz ele, fiz o necessário, você vai até mesmo poder comer. Chega de tubo, é verdade. Chega de traqueostomia também, apenas um esparadrapo sobre o buraco na minha garganta. Eu nem acredito, estou feliz como nunca antes. Tem alguém esperando você ali fora, ele me diz ainda. Alguém, mas quem? Minha família, já? Mas é cedo demais... Não, ele continua. Alguém... e ele faz aquele gesto circular com a mão apontando para o próprio rosto com uma careta. Alguém moreno? Eu traduzo. Escuro? Sim, escuro. Ele está aqui, está esperando na saída e quer ver você.

Os maqueiros chegam, vamos para fora da minha unidade, vejo pela primeira vez a profusão de corredores, o mobiliário, os outros quartos, esses lugares que imaginei todas aquelas noites a fio. Nenhum sinal do cantor de ontem, que pena, eu penso, ao passar dou uma olhada no quarto de onde emanavam seus cantos, mas ele está vazio, a cama está desfeita, e os lençóis, enrolados aos pés de um colchão largado sobre o piso. A porta está ali bem perto, a luz inunda minha maca, o primeiro rosto que me recebe na luz do dia é o de Andrei. Queria apertá-lo em meus braços chorar contar para ele a história inteira, mas logo os enfermeiros me levam para longe daqueles olhos, daquele olhar enfim atencioso, o olhar de um amigo.

Espero por você no seu quarto, ele grita para mim quando eu passo.

*

Andrei deve estar meio culpado. Porém, seria simples demais se tudo fosse realmente culpa dele, como sugeriria Dária alguns dias depois. Mas absolvê-lo totalmente, julgando-o alheio às circunstâncias daquele combate, tampouco seria justo. Eu me vejo novamente na iurta em Mílkovo, pouco tempo depois da minha chegada naquele verão, há quatro anos; a febre que me deixa de molho sobre a coberta de pele, Andrei e suas tisanas. O lugar entra em você, você vai ficar mais forte depois, ele tinha dito. Eu havia passado duas semanas, talvez três, enfurnada na iurta com ele, falando sobre o espírito dos animais, daqueles que nos escolhem antes mesmo que os encontremos. Eu tinha me curado e logo partido novamente, ele queria que eu ficasse para me ensinar, ainda mais, mas eu só pensava na floresta, a de verdade, não a das histórias. Eu gostava muito de Andrei, mas detestava o vilarejo. Preferia ir para a casa de Dária e não lhe dava escolha, ia ao encontro dos evens que tinham escolhido outra vida, longe dos vilarejos, longe do turismo, longe do Estado. Andrei estava preso aqui, e, mesmo que ele fosse tão indígena quanto Dária e sua família, seu ateliê de escultura havia se tornado para mim, com o passar do tempo, mais do que um objeto de pesquisa, uma câmara de descompressão entre o meu mundo e o deles, tanto na ida quanto na volta.

Mas dessa vez é diferente. Eu não volto para minha casa, evito o bosque, vou para a montanha. Alguma coisa está errada, alguma coisa essencial. Ele sabe disso, ele sente. Eu novamente o vejo me dando a garra no momento de partir. Você sabe que você já é *mátukha*, eu não lhe ensino nada. Leve-a com você quando for caminhar lá no alto. Eu o ouço lembrando-me de nossas discussões durante meus delírios febris e alertando-me contra o espírito do urso, que me segue, que me espera, que me conhece. No entanto, ele não me detém. Ele não faz nenhum gesto para me impedir de subir os vulcões. E é por isso que Dária o recrimina. Que ele saiba, por mim, pelo urso, e que não faça nada. Que ele nunca tenha feito nada, dito nada; ou melhor: que ele tenha dito tudo a uma fera que, por desafio, corria de todo modo para a sua perdição, ao encontro de sua iniciação, e que seja preciso a intervenção de um milagre para que ela sobreviva a tudo isso. Não, nada é culpa dele. O que ele fez: guiou meus passos para que eu fosse ao encontro do meu sonho.

Dária, ela também, sempre soube. Ela sabe quem me visita quando durmo; conto para ela de manhã cedo os ursos da minha noite, familiares, hostis, engraçados, perniciosos, afetuosos, inquietantes. Ela escuta em silêncio. Ri por me ver agachada nos arbustos de bagas com meus cabelos loiros que ficam por cima das folhagens, você tem como que uma pelagem, ela me diz toda vez. Ela compara o meu corpo musculoso com o da ursa, ela se pergunta qual das duas dorme na toca de seu duplo. Mas Dária tem alguma coisa que Andrei não tem, que Andrei nunca terá: ela é mãe. Uma mulher que conhece a dor em sua carne, a vida e a morte, e que mais do que tudo no mundo aspira a proteger aqueles que ama e a poupá-los do sofrimento. Dária também sabe ver entre os mundos. No entanto, ela nunca arrancaria um menino de seu ambiente familiar, ela não o levaria à floresta, não desenharia um círculo em torno dele dizendo você fique aí, não o confiaria ao mundo exterior durante uma lunação para que ele tecesse sob a pele as relações que mais tarde farão dele um homem. Esse é o papel do pai. De jogar o filho no mundo uma segunda vez. Não tenho pai desde a adolescência. Andrei de alguma forma se apoderou desse lugar que ficou vago, assumiu o papel daquele que inicia, empurrando a criança para fora da doçura e da evidência intrauterina. É precisamente por isso que Dária o detestará para sempre.

    No quarto do hospital, Andrei se mantém ao lado da planta verde perto da janela, sentado sobre a pequena cama que fica diante daquela sobre a qual os enfermeiros me ajudam a me sentar. Nós nos olhamos em silêncio, a porta se fecha, estamos sozinhos. Ele diz: Nástia, você perdoou o urso? Silêncio novamente. É preciso perdoar o urso. Não respondo de imediato, sei que não tenho escolha e, no entanto, só dessa vez eu gostaria de me insurgir, contra o destino, contra os vínculos, contra tudo aquilo para o qual nos dirigimos e que é inelutável, gostaria de lhe gritar que eu queria tê-lo matado, expulsá-lo para fora do meu sistema, que eu o odeio demais por ter me desfigurado assim. Mas não faço isso, não digo nada. Respiro. Sim. Eu perdoei o urso.

    Andrei abaixa a cabeça e olha para o chão, seus longos cabelos pretos se aninham no lado esquerdo de seu rosto, ele espera um tempo assim, duas lágrimas caem sobre o piso. Ele ergue os olhos, pretos, molhados, brilhantes, penetrantes. Ele não quis matar você, ele quis marcar você. Agora você é *miêdka*,² aquela que vive entre os mundos.

Ouve-se uma agitação no corredor. Andrei se empertiga, entreabre a porta, lança um olhar, volta-se para mim. Eles estão aqui, levante-se. Cambaleio até a entrada, me apoio nos ombros de Andrei, eles entram. Ela primeiro. Seus cabelos

---

2 A palavra even *miêdka* é empregada para designar as pessoas "marcadas pelo urso" que sobreviveram ao encontro. Esse termo remete à ideia de que a pessoa que carrega esse nome é dali em diante metade humana, metade urso.

loiros desalinhados, que mal disfarçam os olhos inchados e vermelhos, fruto de uma semana de lágrimas, de tristeza e de medo. Ele atrás. Seus lábios que tremem, o maxilar cerrado pela ansiedade e pela espera. Minha mãe me aperta em seus braços com toda a força que lhe resta, meu irmão envolve nós duas e esconde da face do mundo nosso rosto encharcado. Choramos juntos e é realmente muito verdadeiro, por fim. Não pareço mais comigo mesma, minha cabeça é uma bola arranhada por cicatrizes vermelhas e inchadas, por pontos de sutura. Eu não pareço mais comigo mesma e, no entanto, nunca estive tão próxima da minha compleição anímica; ela se imprimiu em meu corpo, sua textura reflete ao mesmo tempo uma passagem e um retorno.

Mais tarde, esse quarto de hospital e sua planta verde se transformam em laboratório; ali se encontram pessoas tão diferentes que temos dificuldade em imaginá-las lado a lado, diante daquela que enfrentou o urso. Dária e seu filho Ivan saíram da floresta deles, Iúlia, sua filha, deixou para trás o marido na base militar de Viliútchinsk para se encontrar com eles em Petropávlovsk. Uma estranha família se cria, minha mãe, meu irmão e eles, pela primeira vez no mesmo espaço-tempo, todos projetados numa zona incerta, liminar. Eu me torno um improvável elo de ligação: entre eles como seres humanos e com o mundo dos ursos lá em cima, na tundra de altitude.

Mais tarde ainda, estou sozinha com Dária e Ivan. Como vocês souberam do urso?, pergunto. Na floresta de Tvaián, não há telefone. Num raio de cem quilômetros, nenhuma torre de transmissão, nada. E já faz vários meses que o rádio que os mantinha em comunicação com os outros campos de caça da região não funciona mais. Dária enxuga com um lenço o suor que lhe escorre na testa, apoia o queixo nas mãos unidas, baixa a voz, começa a contar. Aquele dia específico, aquele dia em que eu corria ao encontro do meu urso, aquele dia em que eles estavam longe dos vulcões, na floresta deles.

Eles estão em Kruchkatchan com as crianças, a jusante do rio Itcha, alguns quilômetros ao sul de Tvaián. Estão pescando. No fim do verão, os salmões sempre são mais numerosos ali do que no campo de caça principal. Só existe ali uma cabana rudimentar em que todos dormem lado a lado, no chão, sobre peles, mas logo depois da moradia o rio se alarga e se acalma, é um excelente local para jogar o tarrafo. Enquanto tomam chá no meio da tarde, Ivan cai para trás e perde a consciência. Sua mãe lhe dá um tapa cheio de preocupação, ele reabre os olhos. Ele se levanta depois de alguns minutos. Aconteceu alguma coisa com Nástia, diz. Ele sai da cabana, desce para o rio, liga o motor do barco, parte para o campo de Manach cem quilômetros ao norte para subir na árvore-cabine de onde fazemos todas as nossas chamadas telefônicas quando estamos na floresta. Sentado nos galhos a três metros do chão, o telefone apontado para o céu, ele recebe a mensagem que eu tinha pedido que Nikolai escrevesse por mim, quando eu ainda estava em Kliutchí, no vilarejo-chave. Ao sair do ambulatório e antes de tomar o helicóptero, eu tinha dado a ele meu telefone russo, instando-o a contatar Ivan e Charles, os dois homens guardiães de minhas duas casas naquele momento, lá na França e aqui em Kamtchátka. Sei que vou fazer com que vivam um horror, mas a culpa não prevalece. Sei, ainda sem compreender por que no momento do embate, que esse urso, que a princípio é o meu, nos diz respeito, também, a todos três. A eles e a mim.

De Charles, eu me lembro daquele dia de fim de luto even, ao deixar a floresta. Depois de três dias de nomadismo entre os campos de caça, depois de ter enterrado a mãe de Dária em Drakoon, depois dos choros da intensidade do vazio e do estupor, nós chegamos a Chanutch, ao posto de fronteira, é o fim de nosso primeiro campo na região de Itcha. Charles e eu vamos nos lavar rio abaixo, pegamos um caminho estreito em declive, os galhos arranham o rosto e os braços. Começamos nossas abluções assim que chegamos à água. Alguns instantes depois, um gemido surdo se faz ouvir. Nós dois levantamos a cabeça, o grande cachorro branco de nome Shaman que nos acompanha se lança no sentido da correnteza. Charles me olha e me diz não vá. Eu me levanto, sua voz está distante demais, como que sufocada. Com os sentidos alertas eu me precipito atrás de Shaman, o cão, o sangue pulsa nas minhas têmporas como deve pulsar nas dele. Eu o encontro trinta metros mais abaixo, parado como um poste junto às árvores na margem sobre a água, ele late. Tateando, avanço por trás dele, estou quase rastejando, até por fim me encontrar ao seu lado. Ali, a alguns metros de nós, está uma ursa gigantesca com uma pata apoiada numa árvore e a outra pendente, ela bufa na nossa direção. Dois filhotes de urso brincam atrás dela. Meu coração explode no peito, eu me endireito um pouco e a encaro. Ela tira a pata da árvore, se apruma e fixa o olhar em nós dois, depois emite um longo rugido inapelável. Eu olho o cachorro, o cachorro me olha. Recuo, baixando lentamente, estou fora do alcance da vista, eu me viro, corro a toda velocidade na direção do buraco no gelo onde deixei Charles, encontrá-lo rápido, não o deixar sozinho lá, é a única coisa que me ocorre nesse momento. Você a viu, ele me diz quando o encontro. Sim, respondo ofegante. Você é louca, ele me diz também. Eu sei, com um sorriso.

    Mais tarde nessa noite, as linhas correm na página, eu escrevo e é um fluxo, uma evidência, escrevo porque estou profundamente afetada. Devo dizer que tenho dois cadernos de campo. Um é diurno. Ele é repleto de notas esparsas, descrições minuciosas, transcrições de diálogos ou de falas, opacos na maioria das vezes, até que eu volte para casa e confira a eles uma ordem; até que eu ordene esse amontoado de dados detalhados para fazer deles algo estável, inteligível, compartilhável. O outro é noturno. Seu conteúdo é parcial, fragmentário, instável. Eu o chamo de caderno preto, porque não sei definir muito bem o que vai dentro dele. O caderno diurno e o caderno noturno são a expressão da dualidade que me corrói; de uma ideia do objetivo e do subjetivo que preservo apesar de mim mesma. Eles são respectivamente o de dentro e o de fora; a escrita automática, imediata, pulsional, selvagem, que não tem outra vocação além de revelar o que me atravessa, um estado de corpo e alma num dado momento, e aquela, paradoxalmente menos bem-acabada, porém mais controlada, que será trabalhada em seguida para se tornar reflexiva, e que terminará nas páginas de um livro. Obviamente, depois do urso, nessa noite foi o caderno preto que eu peguei.

8 de julho de 2014

E de novo esses olhares que transpassam, que povoam as lembranças com imagens fugazes, vibrantes. Constelação de detalhes que pululam no corpo; flashes de cores que lembram a ele o que já se perdeu dos seres em copresença. Fantasmático do desejo próprio às florestas, aos predadores solitários, à sua raiva ao seu orgulho e à sua vigília. Tensão de seus encontros inesperados, inconfessáveis, improváveis, em devir, no entanto. Porque sozinhos eles se perdem, porque sozinhos eles se fecham, porque sozinhos eles esquecem. O cruzamento de seus olhares os salva de si mesmos ao projetá-los na alteridade daquele que os enfrenta. O cruzamento de seus olhares os mantém vivos.

Naquela noite, ao fechar o caderno preto, apago minha lanterna de cabeça e fico deitada no escuro com os olhos abertos, escuto o som das respirações em volta. O que está acontecendo? Eu me lembro da perturbação. Estou me transformando em algo que ignoro; *isso* fala através de mim.

De Ivan, eu me lembro antes de tudo do nosso primeiro encontro. Chove a cântaros, Charles e eu acabamos de chegar a Manach pelo Itcha, estamos em junho de 2014. Há três dias esperamos que o tempo melhore para podermos sair da iurta. Estou severamente entediada. Rabisco nos meus cadernos, não encontro nada de inteligente para dizer, estou vazia de palavras e ainda mais vazia de sentido; de todo modo, não acontece nada de notável. A tarde vai chegando ao fim. Ilo mexe languidamente a *apana*[3] dos cachorros que cozinha em fogo brando sobre as brasas; a fumaça que escapa do bule sobe suavemente na direção da abertura superior. A água tamborila sobre as lonas, é ensurdecedor, avassalador. Eu revejo muito claramente o canto da iurta, do lado esquerdo, que se retrai com um movimento brusco, e aquele homem de impermeável laranja encharcado, entrando. *Zdórovo*, dispara ele, um sorriso nos lábios. Ele varre com o olhar os ocupantes da iurta, distingue os dois estrangeiros, crava seus olhos nos meus. Alguma coisa derrete em mim, penso enquanto sustento seu olhar.

Charles não está conosco em Petropávlovsk, porém está muito presente. Ele cuida dos procedimentos administrativos, traduz os papéis relativos às operações às quais já fui submetida aqui, na Rússia, para a futura transferência para um hospital francês. Ele passa as noites em claro, eu sinto seu tormento no meu coração. Ele liga para o meu telefone russo, que acabei recuperando, ele chora no aparelho, repete para mim que eu não devo

---

3 A *apana* é a refeição que os evens preparam para seus cachorros. Nela é colocado tudo aquilo que não é consumido pelos humanos, cabeças de peixe, espinhas, vísceras, restos de comida, batatas etc. A *apana* fica cozinhando no fogo o dia todo.

morrer, que eu não posso morrer. Eu não morri, eu nasci, digo também a ele, como à minha mãe, como ao meu irmão, que me respondem, todos, sim, sim, esperando que logo eu vá recuperar o juízo e esquecer essas histórias de almas misturadas e sonhos anímicos. É difícil explicar, é verdade. Porque ainda está confuso na minha cabeça, tenho dificuldade para pôr nas palavras certas aquilo que aconteceu, aquilo que está acontecendo. Ainda não me dou conta, mas a incompreensão deles é apenas uma amostra do que me espera na França.

Dária me deixa sozinha com Ivan. Ele me abraça forte, chora suavemente no meu ombro, suas lágrimas escorrem pelo meu pescoço. Por que não me ouviu quando lhe pedi para não ir? Por que foi lá no alto, sendo que podia ficar conosco em Tvaián? Mesma resposta, intraduzível em qualquer língua. Eu tinha que ir ao encontro do meu sonho. Mesma frustração.

Uma enfermeira entra no quarto. Nástia, alguém quer vê-la. É um agente do FSB[4] que a acompanha, de uniforme, quepe, pistola na cintura. Você vai ter que reunir forças para uma entrevista, senhorita, diz ele fechando a porta. Ivan ainda está aqui, ele recua até se perder no canto do banheirinho no fundo do quarto. Ele se agacha. Desaparece na sombra. Olho para ele e penso no dia em que nos despedimos na tundra de Chanutch. Não vou além daqui, ele tinha dito, enquanto Liúba, o pequeno Nikita e eu continuávamos nosso caminho a pé após dois dias de barco para alcançar a estrada que nos levaria, trezentos quilômetros depois, ao vilarejo de Mílkovo. Como hoje nesse canto sombrio entre a pia e o chuveiro, ele tinha se agachado entre a folhagem na orla do bosque, sacado um cigarro e nos observado andar na tundra desnudada na direção daquele outro mundo que não era o seu.

---

4 FSB é o serviço de segurança nacional da federação russa que substituiu a KGB da época soviética. [N.T.]

Por muito tempo nós vimos sua silhueta imóvel à espreita, depois o pontinho verde que ele tinha se tornado levantou-se e desapareceu por entre as árvores que margeavam o rio.

O agente do FSB se acomoda, como todos os outros antes dele, sobre a pequena cama diante da minha, e o interrogatório começa. Ele está ali para entender duas coisas: em primeiro lugar, o que fazia uma jovem francesa nos arredores de Kliutchí, o vilarejo-chave, base militar, descendo as encostas geladas de um vulcão com dois russos atrás dela, em total autonomia? Em segundo lugar, como é possível que essa estrangeira tenha conseguido sobreviver ao ataque de um urso, sendo que os testemunhos relatam que ela lhe deu um golpe de piqueta no flanco direito para se defender? A questão central a elucidar é a seguinte: seria ela uma agente secreta altamente treinada enviada pela França (ou pior, pelos Estados Unidos) para espionar os equipamentos militares russos da região? A exposição dos fatos não joga em meu favor. O agente do FSB acrescenta que em seu relatório também está escrito que eu trabalhei muito tempo no Alasca antes de vir para cá; que entrei em Kamtchátka com um visto de pesquisadora, o que não ajuda em nada o meu caso; que passei a maior parte do meu tempo em uma *"no flying zone"* militar ao sul da região de Bistrinski, lá onde os últimos caçadores evens ainda sobrevivem em autarquia quase total. E, aliás, o que você fazia por lá?, ele me pergunta com frieza. Ivan se encolhe um pouco mais atrás da porta do chuveiro. Pesquisas, eu respondo. Etnográficas, eu especifico. São necessárias mais de três horas para que o agente concorde comigo a respeito do fato de que não sou uma espiã e que, mesmo sendo difícil de acreditar, saí viva dessa situação por motivos que não têm a ver com a guerra nem com a espionagem.

*

Nos dias que se seguem, começa uma estranha procissão. Os humanos têm essa curiosa mania de se agarrar ao sofrimento dos outros como ostras nas rochas. Tudo se passa como se o acontecimento os revelasse, enfim, a si mesmos, como se o drama fizesse ressurgir emoções há muito enterradas sob a pele, nos órgãos, sentimentos tão extraordinariamente autênticos que se tornam pesados demais para suportar. Para livrar-se deles, parece que o mais cômodo seja mandá-los de volta imediatamente ao deflagrador do transtorno interior. No caso, eu. Vi então aportar na entrada do meu corredor uma porção de desconhecidos que vieram me visitar, me trazer uma coisinha qualquer, me confidenciar o quanto eles se compadeciam do meu sofrimento. Na maior parte do tempo, eu tinha vontade de gritar; eu fervilhava. Dizia a mim mesma toda vez, como não entender que uma mulher de vinte e nove anos momentaneamente desfigurada aspira ao isolamento, à tranquilidade e ao silêncio? Implorava às enfermeiras que impedissem que qualquer um viesse à minha porta, suplicava a elas que deixassem entrar somente os meus familiares. Solicitação que se somava à perplexidade das minhas cuidadoras, pois meus "familiares" não se pareciam entre si, não falavam a mesma língua, não viviam no mesmo mundo. Uma noite, a enfermeira que me trazia a *kacha*[5] havia uma semana dispara, rindo: Nástia, parece até que existem duas pessoas diferentes neste quarto!

O tempo corre lentamente. Todo dia, mãos femininas treinadas retiram a faixa que envolve meu crânio, limpam os pontos de sutura, refazem a faixa. Numa dessas tardes, a mais gentil das cuidadoras me diz, acariciando suavemente a minha cabeça: Nástia, você não vai ficar careca. Quase tenho vontade de rir, claramente são os nervos. Não tinha entendido que "ficar careca" fazia parte do registro dos possíveis.

[5] Mingau russo típico, à base de trigo sarraceno e leite.

Os exames pós-operatórios são bons, nos preparamos para fazer as malas e voltar para a França. Minha mãe e eu passamos horas a debater, sentadas em minha pequena cama, uma junto da outra, para qual hospital seria preferível que eu fosse transferida: para qual unidade maxilofacial, com quais cirurgiões. Hesitamos muito até optarmos pela Salpêtrière, em Paris. Meu outro irmão, Thibaut, e minha irmã mais velha, Gwendoline, moram lá, Charles também, e todos três pressionam por telefone nesse sentido. Reviramos na cabeça diversos argumentos, pesamos os prós e os contras durante horas, depois cedemos. Tanto minha mãe como eu não temos força para pensar além. Se eu soubesse, tudo poderia ter sido diferente. Ou talvez não. De qualquer jeito, é tarde demais para recuar.

No dia da partida, uma ambulância me leva ao aeroporto. Ainda tenho que esperar no veículo, os maqueiros me proíbem de sair. Lá fora, Dária e Ivan ficam de pé no asfalto. Suborno meu motorista para deixá-los subir, apenas um instante. Favor concedido. Eles entram, choramos. Depois, Dária se recompõe, como sempre, ela que conhece os tormentos da existência melhor que ninguém. Revejo seu belo rosto acima do fogo na iurta em Tvaián numa noite de verão, enquanto os pequenos dormem sobre as peles e os grandes fumam seus cigarros do lado de fora, conversando animadamente. Sua voz fica mais baixa, ela quase sussurra agora, e me conta da perda dos dois pais de seus cinco filhos, seus dois maridos que não sobreviveram, o primeiro ao trabalho no *kolkhoz*, o segundo, às rixas e ao banditismo pós-soviético. Eu me lembro de ter ficado aterrorizada pelas mortes violentas que ela evocava; de ter tido vontade de chorar quando ela se perguntava se, toda vez que via um urso, não seria seu segundo marido, levado pelo mar, voltando para cumprimentá-la; e de ter pensado, inevitavelmente, nas pessoas que eu mesma perdi, de ter me perguntado onde elas estariam agora, e se elas também podiam me ver. Hoje, como naquela noite, ela repete: *Ni nádo plákat Nástia*. Não se deve chorar. *Vsió búdiet khorochó*. Vai dar tudo certo. E mais: para continuar a viver, é melhor não pensar nas coisas ruins. É melhor não chamar para perto de si nada que não seja o amor.

Do avião, tenho apenas breves lembranças bastante desagradáveis. Deixando de lado as dores ligadas aos ferimentos, eu me lembro sobretudo de uma intensa frustração: viajar em primeira classe, coisa que nunca tinha me acontecido, sem poder aproveitar nem o champanhe nem o salmão defumado, enquanto, do meu lado, meu irmão se regala. Minha cicatriz voltou a se abrir com a pressurização da cabine, escorre sangue na minha face direita. Uma lágrima se derrama na de minha mãe. Ela saca um lenço, enxuga delicadamente as gotas de sangue. Ela é forte demais, penso então. Em Moscou, uma imagem: um homem de cerca de cinquenta anos empurra minha cadeira de rodas (minha mãe insistiu para que eu não "arrumasse confusão desta vez" e para que eu ficasse sentada tranquilamente, mesmo que eu preferisse que me deixassem andar), aquele homem, então, louco de curiosidade pelo meu rosto dissimulado, encoberto por uma echarpe multicolorida amarrada ao estilo dos tuaregues, me pergunta: Você está voltando de Kamtchátka... você caiu de uma montanha? Eu saboreio um pequeno silêncio bastante merecido antes de responder. Não, eu lutei com um urso.

Inverno

A Salpêtrière, pois. Como reunir as imagens desse lugar que deveria ter sido meu refúgio e que se revelou o auge da minha descida aos infernos? Pela ordem, talvez. Mal me deixam sozinha, entro no banheiro e desprendo a faixa que me envolve a cabeça. Ainda não vi minha cabeça. A atadura cai sobre o linóleo alaranjado. Olho para o chão. Em seguida, ouso, ergo os olhos pouco a pouco, encaro o espelho. Meus cabelos estão raspados *à la garçonne*, quase um corte à escovinha. As cicatrizes vermelhas do rosto ainda estão um pouco inchadas, as do couro cabeludo começam a desaparecer embaixo da penugem escura que volta a crescer. Eu desabo no chão e deixo minhas lágrimas inundarem tudo. Choro como uma menina abandonada, choro por tudo que não pôde ser evitado, choro pelo meu urso, meu rosto de antes, perdido, minha existência anterior, ela também certamente perdida, choro por tudo que nunca mais será igual. Passo a palma da mão nos meus cabelos raspados. Tenho aquela sensação engraçada de cócegas ao tocar a cabeça que dá vontade de ficar repetindo muitas e muitas vezes. Eu me chamo de volta à vida. Eu me levanto, me olho mais uma vez no espelho, me viro, aciono a maçaneta do banheiro e decido encarar o hospital com esse rosto mesmo.

*

Como é um urso que chega à Salpêtrière por intermédio do meu corpo e, ainda por cima, um urso russo, a equipe do hospital coloca em prática todos os procedimentos de segurança e prevenção: estou de quarentena. A planta verde e a *kacha* de Petropávlovsk estão distantes, aqui não se brinca com a higiene e a segurança. Toda vez que as enfermeiras entram, elas se vestem com um papel azul que jogam fora ao sair. O papel é TNT. Foi o companheiro da minha mãe quem me contou, porque ele trabalhou por muito tempo nesse setor. Minhas cuidadoras também calçam luvas. Sapatilhas protetoras. Máscaras. Elas instam minha família a fazer o mesmo, mas felizmente eles não se submetem, resistem à violência do TNT e da máscara, por mim. Eu me sinto como um animal selvagem que foi capturado e colocado debaixo de um neon baço a fim de ser observado à lupa. Tudo berra em mim, as luzes brancas halógenas me queimam os olhos, a pele. Eu queria sumir, voltar para a noite ártica, sem sol e sem eletricidade, penso nas velas, seria muito mais tranquilo se eu pudesse me esconder, me esconder, me esconder. Eu me recomponho à noite, quando tudo enfim se apaga, quando cessam as idas e vindas. Fixo um ponto no escuro, parto para debaixo da terra, falo com o meu urso.

No horário de expediente, recebo visitas, sobretudo no início. Meu irmão Thibaut me conta sobre os últimos documentários que dirigiu, me mostra trechos, me traz *milk-shakes* de maracujá. Quanto à minha irmã, Gwendoline, ela transferiu seu escritório algumas horas por dia para os corredores da Salpêtrière para me fazer companhia. Ouço o barulho de seus saltos diante da minha porta enquanto ela anda de um lado para o outro, com o fone sem fio nas orelhas, tomando certamente decisões importantíssimas em nome da SNCF.⁶ Charles também vem me ver com frequência. Primeiro me trouxe um cartão-postal assinado por membros do laboratório de antropologia social. Toda vez ele descreve para mim as últimas conferências interessantes a que assistiu, me conta das controvérsias entre os colegas dentro do laboratório. Ouço como se estivesse atrás de um vidro, a voz dele se faz distante. Eu me imagino em uma embarcação cujas amarras foram soltas, olho para a margem que se afasta inexoravelmente. O navio recua, levado pela correnteza, a popa na frente, avisto a silhueta dos meus familiares e amigos mais íntimos que ficaram em terra firme, sou incapaz de abolir, ou sequer reduzir, a distância que cresce entre mim e eles.

Até o dia em que peço a Charles que pare de vir me ver, o que o deixa triste. Acho que ele me considera injusta. Sinto muito, é tudo o que consigo lhe dizer. Não formulo nenhuma justificativa, nada de sólido ou de fundamentado me vem à mente, nenhuma boa razão. Corto relações, simplesmente. Não só com ele, mas com todos os meus amigos. Paro de atender o telefone.

Trabalho na universidade, bem sei. Como sei da necessidade de compartilhar os resultados com os estudantes, de incentivá-los a participar, de aproveitar cada ocasião para fazer seus conhecimentos avançarem, de debater questões que nos estimulam acerca de um objeto em particular. Mas hoje o objeto sou eu. Um cortejo de estudantes de medicina, seguindo seu professor como as abelhas seguem sua rainha, entra no meu quarto. Eles têm a minha idade ou pouco menos, cadernos de

---

6 SNCF (Société Nationale des Chemins de Fer ou Sociedade Nacional de Vias Férreas) é a empresa estatal francesa encarregada de gerir o transporte ferroviário. [N.T.]

apontamentos em mãos, jalecos brancos, olhares aplicados, observam e ouvem o professor apresentar meu caso. Mordida de urso no rosto e na cabeça, fratura do ramo mandibular inferior direito, fratura da maçã do rosto direita, diversas cicatrizes no rosto e na cabeça, outra mordida na perna direita. Enquanto fazem anotações, eu os observo um a um. São tão limpos, tão arrumados, tão luminosos em seus jalecos brancos, penso. E eu? Volto a pensar nas palavras não muito delicadas de uma pessoa próxima que veio me ver pouco depois da minha chegada: podia ter sido pior, parece só que você acabou de sair do *gulag*. Uma vontade imperiosa de me esconder, de cobrir meu rosto com um véu para me esquivar dos olhares deles. Posso até ouvi-los, naquela noite, contando para os amigos a história da "moça do urso" repatriada para o departamento de cirurgia maxilofacial deles. Tento calar os comentários que já consigo imaginar. Está desfigurada, pobrezinha. Devia ser bonita antes.

No dia seguinte, a psicóloga do setor me faz uma visita. Sapatos com saltos baixos e quadrados, saia acinturada, jaleco branco, cabelos loiros amarrados em um coque. Bom dia, senhora Martin, e as formalidades habituais que se seguem. Ela me pergunta como me sinto "psicologicamente". Na falta de coisa melhor, eu lhe respondo que minha psique certamente está como a minha pele e os meus ossos, dilacerada, quebrada, retalhada. Mas ainda? Eu me sinto viva, acrescento, tentando dar um sorriso. Ela me escrutina com um olhar que se pretende amável e cheio de boa vontade. Mas de verdade, como você está se sentindo?, ela insiste. Um silêncio, em seguida ela retoma. Porque, você sabe, o rosto é a identidade. Olho para ela, pasma. Os pensamentos se entrechocam na minha cabeça, que de repente superaquece. Pergunto se ela costuma prodigar esse tipo de informação a todos os pacientes da ala maxilofacial da Salpêtrière. Ela ergue as sobrancelhas, desconcertada. Gostaria de explicar a ela que, há anos, coleto narrativas sobre as presenças múltiplas que podem habitar um mesmo corpo — para subverter o conceito de identidade unívoca, uniforme e unidimensional. Gostaria também de dizer a ela todo o mal que isso pode causar, emitir um veredito desses quando, precisamente, a pessoa que se encontra na sua frente perdeu aquilo que, bem ou mal, refletia uma forma de unicidade e tenta se recompor com os elementos *alter* que, de agora em diante, ela ostenta no rosto. Mas guardo isso para mim. Não consigo nada além de soltar um cortês: acho que é mais complicado que isso. E ainda deixo escapar esta: felizmente não se pode abrir as janelas dos quartos... A identidade perdida do desfigurado é algo violento como sentença. Contra todas as expectativas ela me concede um novo sorriso, faz piada, é bom sinal, ela deve pensar consigo mesma. Ela não perde o norte: estou conseguindo dormir à noite? Imagino que ela gostaria que eu lhe fizesse confidências. Que evocasse o horror, a fera, sua boca, seus dentes, suas garras, sei lá mais o quê. Apenas sorrio para ela. Ela não é mal-intencionada, com certeza também não é incompetente, está apenas fora da realidade, em outro mundo. Surpresa, ela arregala os olhos quando lhe garanto que, à noite, tudo melhora. É verdade, à noite eu vejo com mais clareza porque vejo além — além daquilo que é imediatamente dado aos sentidos da vida diurna.

    Se eu sonho? Como explicar a ela. Sim, o tempo todo. Mas faço outra coisa antes de sonhar. Eu lembro. Toda noite, antes de adormecer, revivo as cenas das semanas e das horas que precederam a reviravolta da minha vida.

*

Montamos a barraca em uma pequena clareira, depois de ter passado o dia a caminhar pela floresta, empunhando um facão. Mais cedo nessa manhã, abandonamos a pista, que se transformou em trilha, que se perdeu em vegetações rasteiras inextricáveis. Teremos de esperar amanhã para sair do *bush*, deixaremos Kliutchí e sua imensa taiga para trás e subiremos por fim na direção dos vulcões. Ao longe, os cumes enevoados se revelam intermitentemente. Acabamos de montar o acampamento para a noite, acendemos uma grande fogueira, sombras dançam nas árvores ao redor. É o primeiro dia de nossa expedição no maciço de Kliútchevskoi, o vulcão mais elevado de Kamtchátka, um périplo que deveria durar duas semanas. Nessa noite, adormeço pensando nas montanhas bem perto dali, mas meu sono me traz os ursos. Eles rondam a barraca, andam em volta do fogo. São grandes, castanhos, ameaçadores. Acordo suando, angustiada. Achava que tinha deixado essas imagens para trás na floresta, queria me livrar delas, elas me perseguem, que seja. Nos dois dias seguintes tenho dor de barriga, caminhar, caminhar, não pensar mais nisso. E depois passa. As visões da noite sempre acabam passando, a gente se esquece delas, só isso, o que não quer dizer que elas deixem de existir.

A vegetação rareia, não há mais árvores, avançamos em meio a grandes fetos arborescentes. Trezentos metros de desnível, e abrimos caminho entre os amieiros. Nosso batedor aparentemente não é humano, nosso batedor é um urso, vemos seus rastros que nos precedem, seus dejetos cheios de bagas. Mais quinhentos metros e a vegetação desaparece, os rastros também. Enfim, eu penso. Saímos do meio dos vivos. A vista é desimpedida, mineral, não tem mais ninguém no horizonte, apenas Nikolai e Lanna, que caminham mais abaixo, com as costas arqueadas pelo peso da carga. Tenho a impressão de respirar, grito de alegria em meio ao vento. Isso dura alguns dias, o sorriso nos lábios, a leveza, o corpo que se apura, os sentidos que se aguçam à medida que subimos. Existe uma embriaguez da alta montanha. Uma alegria intensa própria do desprendimento. E aí, logo em seguida, há sempre as provações, à espera.

A mochila de Lanna é pesada demais para ela, na medida do possível Nikolai e eu tentamos aliviá-la, dividindo sua carga, mas não temos mais espaço. Para atingir o colo, entre os vulcões Kámien e Kliútchevskoi, a mais de três mil metros, apoio minha mochila sobre uma rocha, torno a descer e subo com a mochila dela. Assim vamos avançando, em etapas, a cada duzentos metros. Em que confusão eu fui me meter? Começo a sentir uma ponta de irritação na boca do estômago, apesar da paisagem de arrancar o fôlego, apesar do ar frio que revigora minha carne. No colo, depois da escalada do Kámien, a tempestade desaba em cima de nós. Esperamos três, quatro dias até que o nevoeiro se dissipe para descermos do glacier, mas nada acontece. Os mantimentos foram calculados para pouco mais de duas semanas; se não nos mexermos amanhã, não teremos mais comida suficiente para voltar. Continuamos imersos no branco, mas minha decisão está tomada: vamos embora. De manhã bem cedo, encordoo Nikolai e Lanna, saco o GPS, ativo o ponto seguinte, meu olhar se perde em algum lugar no nevoeiro mais abaixo. Nevou muito, as fendas estão parcialmente encobertas. Começo a descer com prudência, abrindo caminho na cerração. Estiquem a corda. Ouço algumas pontes de neve cedendo sob meus pés. Estiquem a corda! Berro em meio à bruma, uma leve pressão no boldrié me indica que, trinta metros acima, Nikolai entendeu e voltou a tensionar a corda. Direita, esquerda, direita, à frente, vou evitando tudo o que me parece ser uma depressão, vou ziguezagueando, a progressão é lenta, mas estamos baixando em altitude, quando de repente o nevoeiro se dissipa. A neve diminui, está chuviscando sobre o glacier sujo de cinzas vulcânicas. Enfim visíveis, surgem as fendas; recupero o fôlego.

O que se segue é uma versão do Minotauro dentro do labirinto: um dédalo de vales infernais de gelo e lava pulverizada. Procuro o caminho sem refletir muito, faço como a água, tento ir de acordo com o que parece mais lógico. Meus pés afundam nas cinzas ou deslizam sobre placas de gelo preto, mas não penso nisso, fico lembrando a mim mesma todas as bagatelas da existência, as piscadelas dos amantes, os acessos de riso dos amigos. E, sobretudo, faço graça sempre que paramos para descansar. Nikolai e Lanna me olham desconcertados, mas consigo arrancar deles alguns sorrisos. O humor é um remédio imbatível em situações extremas: ajuda a sobreviver. Depois de trinta horas sem parar, saímos enfim do caos. Mais abaixo, ainda é preciso atravessar um turbulento rio glacial, com cinco metros de largura e um metro e meio de profundidade, cuja torrente se perde sob as fendas a jusante. Passamos à custa de algumas brigas, o medo faz subir o tom das nossas vozes. Na outra margem, vem a vontade premente de deitar no chão e não mexer mais. Nessa noite, a última da minha vida de antes, eu me questiono sobre o porquê dessa empreitada, destinada a me salvar momentaneamente da mata. Esgotada, estou exaurida. Sacamos o *spirt*, os copinhos. Debaixo da barraca bem no meio da morena glaciar, nós brindamos, bom trabalho, quase lá. À noite, durmo pouco. Sair dali, rápido. Recuperar a vida, lá embaixo. Deixar os cumes mortíferos.

Sob minha forma de fera, caminho no planalto de altitude. É o término da nossa viagem, o vulcão se perde nas brumas, o glaciar espraia suas últimas fendas, já sem profundidade. O passo é solto, leve e rápido, é preciso acabar com isso agora. Revejo meus pensamentos raivosos girando nesse instante preciso, logo depois de soltar Lanna e Nikolai. Eles me cansam com suas considerações exaltadas, que voltam com toda a força depois das provações; com suas palavras espirituosas sobre os encantos da Natureza, sobre a paisagem que enfim se oferece aos nossos olhos quando as nuvens sobre o cume se dissipam e o inferno glacial e vulcânico fica definitivamente para trás. Vejo Lanna se extasiar, me lembro dela dois dias antes lá em cima no nevoeiro, os olhos cheios de lágrimas, enquanto eu esticava a corda para que ela transpusesse as fendas impossíveis de serem contornadas. Fico irritada por dentro. Enrolo a corda às pressas e me libero deles por fim, me despeço, que alegria, que leveza. Eu me recuso a caminhar ao lado deles, talvez porque sejam lentos demais e porque suas conversas não me interessem, mas sobretudo porque quero poder me perder em meus pensamentos. Indico-lhes a direção, o grande rochedo bem visível onde vamos nos reencontrar, é simples, é só seguir reto, não tem mais risco algum, digo a eles. Parto sozinha, quase me ponho a correr, vejo a floresta, o chá fumegando na iurta, o clarão das brasas nos rostos ovais e os olhos verdes do caçador. Estou impaciente. Estou fervilhando, com muita pressa, pressa de me subtrair do mundo exterior. Ou melhor, da paisagem, é da paisagem que quero sair. Daquela ideia com a qual Lanna e Nikolai passeiam, quando seu corpo ou a dureza dos elementos os deixam enfim tranquilos, daquela ideia que faz com que falem o dia inteiro, os olhos erguidos para o céu. Contudo, ao sair do mundo mineral e enquanto fujo dos meus companheiros de encordoamento, eu fracasso, me deixo levar também por uma forma de contemplação mórbida: não é para as alturas ou para o chão que eu olho, é para o interior, lá dentro. Desejo tanto sair desse lado de fora e alcançar as entranhas da floresta que esqueço onde me encontro, em um mundo potencialmente habitado e percorrido por outros seres vivos. Eu esqueço, é simples assim. Como posso esquecer? É o que me pergunto hoje. É o glaciar às minhas costas, a Natureza de Nikolai e Lanna e o cascalho a perder de vista, é a tempestade desses últimos dias, o enclausuramento na barraca no colo das montanhas e a ansiedade de não poder descer dos vulcões. É esse rio agitado um pouco mais acima que quase nos levou, a prontidão e depois o relaxamento uma vez livres do problema. É o cansaço, o medo e a tensão, tudo isso que se desagrega em um mesmo movimento. É minha melancolia interior, que nem mesmo a mais distante das expedições pôde curar.

É tudo isso ao mesmo tempo, mas esses não são os motivos do esquecimento; são apenas as circunstâncias. Os motivos, estes, pertencem ao tempo do sonho e só se deixam apreender fugazmente à noite, na mais profunda escuridão.

Sim, vou tentar lhe contar meus sonhos, digo à psicóloga. Volte mais tarde, isso pode demorar. Sorriso contrito. Ela é um pouco desajeitada, é verdade. Irritante também. Mas, no fundo, acho que gosto dela mesmo assim. Gosto da maneira como ela aperta os olhos e franze as sobrancelhas, ela quer entender, dá para ver. Me sinto culpada por não ter sido muito amável. Vou me redimir depois, penso comigo ao escutar o barulho surdo de seus saltos que se afastam sobre o linóleo verde enquanto minha cabeça se volta para a janela e meu olhar se perde nos galhos das árvores que balançam suavemente lá fora.

É o dia da minha primeira operação na França. De comum acordo com sua equipe, minha cirurgiã decidiu que era arriscado deixar no meu maxilar uma placa do Leste; que era mais seguro substituí-la por uma placa do Oeste. As radiografias mostram que ela foi fixada com parafusos grandes demais, "à moda russa" é a expressão usada. Para piorar, a placa é muito grossa, me dizem, e está colocada em um eixo que tornará a reabilitação arriscada. Aquele talvez fosse o momento em que teria sido necessário dizer que eu, pessoalmente, confiava nos russos. Que queria primeiro voltar para casa para ter tempo de me recuperar. Não sei. Naquela altura da noite, nem o verdadeiro nem o justo me eram acessíveis. Mas quando é que o são? É assim que, tranquilamente, mas de forma implacável, meu maxilar se tornou o palco de uma guerra fria hospitalar franco-russa.

Ao voltar do bloco cirúrgico, a dor é intensa, peço morfina pela primeira vez; assim como em todas as noites seguintes à operação, sempre que o sofrimento se tornasse insuportável. Em uma escala de um a dez, como é sua dor? É a famosa pergunta conhecida de todos os pacientes dos hospitais franceses. No começo eu hesito, titubeio, tenho medo de exagerar, de ser malvista. Eu me questiono sobre essa espantosa escala. Faço me explicarem várias vezes. A partir de qual número você pode ser levada a sério? Cinco? Seis? Não ser muito gulosa, penso de início; se anuncio um número alto demais, depois não poderei subir mais, caso eles resistam a me aplicar a medicação. Será que todos os meus vizinhos de quarto fazem esse mesmo tipo de cálculo? Será que, bem ou mal, eles também tentam manipular os enfermeiros mais recalcitrantes? Nada fácil, com esse maldito gradiente supostamente destinado a avaliar a intensidade do que ocorre em um corpo em sofrimento. Até nisso foi preciso colocar um número? Eu me revolto por dentro, fico até brava uma ou duas vezes, mas com o tempo e os fracassos recorrentes em conseguir o que quero, eu me conformo. Tudo isso não serve para nada. Questionar a escala, os valores, essas porcarias de números; tentar exprimir as sensações com fineza. Isso não serve para nada. Quando você está com muita dor no hospital e quer alguma coisa para aplacá-la, tem que dizer 9. Até mesmo 9,5. É preciso entrar na escala, em sua lógica; é preciso integrar a norma e fazer de conta que a aceita para obter ganho de causa.

Pensando bem, a inadequação da escala está contida em sua própria aplicação: há algo de surreal em ter de passar por uma medida tão racional e codificada para receber uma medicação que, no melhor dos casos, leva a nimbos ingovernáveis.

Estou na casa da minha infância, em La Pierre. Desço pelo campo dos cavalos, sob o castanhal. Mais abaixo no prado, atrás da casa, tem esse lugar que chamávamos de "jardim dos pássaros". Era chamado assim porque, antes do meu nascimento, quando minha irmã Maud era pequena, nosso pai tinha instalado ali um grande viveiro com dezenas de rolinhas. Minha irmã amava-as mais que tudo. Até o dia em que uma raposa apareceu. Ela cavou um túnel e fez uma carnificina lá dentro. Ela apenas as matou, simples assim, e comeu só uma delas. Maud ficou doente de tristeza. No dia seguinte, meu pai desmontou o viveiro, não vai mais ter gaiolas, isso é absurdo, disse ele, os pássaros do jardim serão pássaros livres ou não serão. Então cá estou eu, bem em cima do jardim dos pássaros tal como o conheci, o velho poço no meio, a pequena cabana à esquerda com suas janelas quebradas, o varal e os chapins empoleirados à direita, as avelaneiras e os arbustos de groselha da minha mãe em volta. Eu me abaixo para passar sob a barreira do pasto dos cavalos situado logo acima, avanço na direção do jardim dos pássaros. Fico paralisada. Alguma coisa sai do poço, uma cabeça. Meu estômago se contrai de medo. Eu o vejo claramente agora que ele se extirpa da terra. Ele é grande, marrom-claro, fulvo. Viro a cabeça. Tem mais um, sentado na mesinha redonda de pedra. Rugidos. Um terceiro sai da cabana. Aquele que saiu do poço me avista e, num passo indolente, vem na minha direção. Me ponho a correr, mas sou lenta demais, detesto isso, essa câmera lenta própria ao tempo do sonho que tolhe os membros, sobretudo quando se deve fugir. Passo ao lado deles, quero chegar à porta da varanda atrás da casa, penso que vão me pegar, corro, me arrasto, tenho que usar minhas mãos que se agarram ao chão como um quadrúpede para tentar acelerar o passo, a porta se aproxima, eu praticamente escalo o chão na horizontal e, num derradeiro elã, me precipito para dentro e bato a porta atrás de mim.

A psicóloga me olha pensativa. É menos violento do que eu esperava, confessa ela. Obviamente. Nenhum sonho pode superar minha realidade. O que você diz sobre isso?, eu questiono. Ela pisca os olhos. Que os ursos habitam suas lembranças, que eles rondam sua memória, que eles irrompem do seu passado e... o que mais? Nada, digo eu. Isso já é muito.

*

Estou de volta à casa da minha mãe faz alguns dias. Há ataduras no meu rosto e na minha perna, duas enfermeiras muito gentis se alternam cotidianamente para cuidar de mim. Sobretudo, há esse líquido amarelo que escorre sob a mandíbula direita. É normal, me avisaram na Salpêtrière, isso ainda vai durar alguns dias. Mas agora já faz várias semanas. Não sinto dores de fato. Só sinto medo, medo de tudo aquilo que não voltou a se fechar em mim, de tudo aquilo que potencialmente se insinuou em mim. Há outros seres à espreita na minha memória; então talvez também haja alguns debaixo da minha pele, nos meus ossos. Essa ideia me aterroriza, porque não quero ser um território invadido. Quero fechar minhas fronteiras, expulsar os intrusos, resistir à invasão. Mas talvez eu já esteja sitiada. É sempre a mesma coisa. Diante de pensamentos assim, eu afundo: sei que, para fechar minhas fronteiras, seria preciso antes poder reconstruí-las.

Como estou em Grenoble, na casa da minha mãe, desde que saí da Salpêtrière, me aconselham a fazer exames ali mesmo, na unidade maxilofacial. Eu detesto esse hospital de

La Tronche,[7] sinto náuseas só de me aproximar dele. Alguém ficou muito doente aqui quando eu era pequena, talvez meu pai antes de morrer, já não sei. Sigo pela grande praça da entrada Belledonne do Centro Hospitalar Universitário, me lembro de que, na última vez que saí por essa porta, vomitei na esplanada, logo antes das escadas de ferro. Eu tinha sete anos, nosso médico de família acabara de me diagnosticar com apendicite. Um pouco depois, num daqueles quartos, me disseram que finalmente não era isso. Saímos aliviadas, minha mãe e eu, mas bastaram alguns metros do lado de fora antes que eu me dobrasse ao meio com as mãos na barriga. Não tenho nenhuma vontade de estar aqui, penso, detendo-me diante da grande porta de vidro. Entro mesmo assim. O cheiro, o linóleo, as cores, os uniformes, as senhas de espera no guichê de recepção, tudo me causa repulsa.

Os resultados dos exames relativos ao líquido amarelo que escorre sob a mandíbula são alarmantes: a cirurgiã de Grenoble me comunica que contraí uma infecção nosocomial ao substituir a placa russa pela placa francesa na Salpêtrière. Um estreptococo resistente, habitante do bloco cirúrgico parisiense, estabeleceu domicílio na nova placa que devia me salvar da má qualidade de sua concorrente russa. Pior, ele se reproduz em alta velocidade, está colonizando-a. Temem pelo osso do meu maxilar; temem que ele também seja colonizado. Bom, agora, senhora, me dizem, agora não vai ser a mesma história para eliminá-lo, o micróbio pode se espalhar, por toda parte. Meus medos se concretizam: sou mesmo vítima de uma invasão. A ironia da situação poderia ter me feito rir, não tivesse eu ficado abatida pela exposição dos fatos e apavorada com o que isso implicava. A cirurgiã de Grenoble interrompe bruscamente o menor comentário.

---

7 La Tronche é uma comuna da região metropolitana de Grenoble. Em francês, *tronche* é também um termo coloquial para "cara, fuça". [N.T.]

Para ela, tudo está claro. Mais uma vez, os médicos da Salpêtrière deram prova de incompetência. Tinha me acostumado com a ideia de que meu maxilar se tornasse palco de uma guerra fria médica franco-russa, mas não esperava que nela viessem se imiscuir, ainda por cima, as rivalidades entre os serviços hospitalares franceses e a concorrência mesquinha entre hospitais parisienses (classificados de "indústria") e hospitais do interior, supostamente de escala mais humana (aqui você não é um número, e sim uma pessoa etc.).

Por sua vez, a cirurgiã de Grenoble afirma que será preciso recomeçar tudo do zero. Ela me apresenta seu plano: para enfim fazer as coisas corretamente, ela vai abrir, retirar a placa infectada, limpar tudo lá dentro e substituir a tala interna por um sistema de fixação externa. Nesse instante, dou o mergulho mais profundo no abismo em que entrei naquele ambulatório de Kliutchí. Eu me imagino com parafusos que saem do meu rosto e um maxilar metálico preso a ele, me vejo mecanizada, robotizada, desumanizada. Lágrimas me escorrem pelas faces, eu me levanto, não, digo simplesmente, não, vocês não vão fazer isso. E saio da sala. Espere! Volte! Me lanço pelo corredor. Fugir desse hospital maldito, só penso nisso, me precipito pelos degraus aos pares, branco verde branco verde, refletir, encontrar uma solução, me acalmar, me acalmar.

Foi a fisioterapeuta de Grenoble com quem eu fazia sessões de drenagem linfática que me indicou essa cirurgiã para fazer exames, uma amiga dela, muito competente, ela me garantira. Em vez de proteger a mim mesma cancelando as consultas para pensar com tranquilidade, acumulo erros e vou à sessão de drenagem prevista para o dia seguinte. Alertada por sua cara colega, que lhe comunicou o resultado dos exames, bem como minha reação violenta ao seu diagnóstico, a fisioterapeuta se revela meu pior pesadelo. Enquanto suas mãos com luvas de plástico se posicionam sobre meu rosto para fazer escoar a linfa, ela me lembra da gravidade das infecções nosocomiais, do perigo que haveria em não seguir o que preconizava a cirurgiã, pois ela "sabe melhor do que eu" o que convém fazer. Suas mãos vão e vêm. Ela dispara que, se eu não fizer exatamente o que estão me dizendo, isso pode ir muito longe, que corro o risco de acabar como o jovem Depardieu depois de seu acidente, que posso muito bem me suicidar. As mãos enluvadas se retiram, a sessão está encerrada.

Saindo do consultório, levanto meu rosto cansado na direção de um sol branco. Por que tudo isso? Precisarei mergulhar uma vez mais em mim mesma. Penso no urso. Se ele está vivo, pelo menos está levando sua vida de urso sem toda essa violência simbólica e concreta cujas consequências estou sofrendo. Enfim, quem sabe? Talvez o povo dos ursos também tenha seus procedimentos de banimento, suas maneiras de marginalizar os *outsiders*, de afastar aqueles que não seguem mais o padrão. Abaixo meus olhos turvos, entro no carro, enfio a chave no contato. Seja como for. Não verei essas pessoas nunca mais.

Volto à Salpêtrière para consultar a cirurgiã que me operou da última vez. Aquela que, ao substituir a placa russa pela placa francesa, permitiu ao meu invasor microscópico se instalar no meu maxilar. Obviamente ela não tem culpa, mas tenho raiva dela, um pouco, e penso que cabe a ela encontrar uma solução. Ela me propõe abrir para limpar tudo e usar o meu ilíaco para fazer um enxerto ósseo. Mais uma coisa: será preciso arrancar um dente, um molar, para não deixar nada ao acaso, para evitar qualquer avanço da infecção. Reflita, ela me diz. É o que faço há três dias, diante do mar, na casa da minha irmã mais velha, Gwendoline. Reflito.

O mês de outubro termina, estou sentada no terraço de um café em Arcachon. O mar à frente e o sol de outono atrás, aquecendo minha cabeça sem cabelos marcada pelo bicho do outro mundo — aquele onde não se passeia sobre calçamentos rosados debaixo de luminárias brancas à sombra de palmeiras. Observo os barcos e suas correntes enferrujadas que desaparecem sob a superfície da água. Penso que mais vale aceitar minha inadequação, me atracar a meu mistério. Os barcos flutuam e eu me lembro dos instantes de fulgor após o combate. A evidência da floresta, a evidência que faz com que eu decida não morrer. Quero me tornar uma âncora. Uma âncora bem pesada que afunde até as profundezas do tempo antes do tempo, o tempo do mito, da matriz, da gênese. Um tempo próximo daquele em que os humanos pintam a cena do poço na caverna de Lascaux. Um tempo em que eu e o urso, minhas mãos nos seus pelos e seus dentes na minha pele, passamos por uma iniciação mútua; uma negociação a respeito do mundo no qual vamos viver. Os barcos flutuam e eu visualizo essa âncora desaparecendo num espaço que me precede e que me funda. Digo a mim mesma que, se eu atracar minha embarcação nesse tempo, ela não vai mais derivar: vai ondular sobre a superfície viva do presente.

Ora, é preciso então que eu tome uma decisão para fechar as brechas abertas do meu corpo, que me mantêm em uma liminaridade desconfortável; e em breve talvez insuportável. Os barcos flutuam e as pessoas caminham sobre os calçamentos rosados. Tudo bem. Ser eu, hoje, significa recusar o consenso, evitar a conciliação, sem no entanto recorrer ao haraquiri. Tudo bem, vou ser operada de novo.

Novembro em Paris, entre chuva e nevoeiro. Faz três meses que o urso levou na boca um pedaço do meu maxilar e dois dos meus dentes. A cirurgiã vai me arrancar um terceiro. Dente por dente. Três. Nada é tão ruim que não possa piorar. Estou deitada no bloco cirúrgico, esperando. Imagine um lugar agradável, diz a enfermeira que injeta em mim as substâncias da anestesia geral. Isso me faz rir, e meu riso provoca um sorriso no rosto da enfermeira. Penso que não há saída para fora. Fui eu que caminhei feito uma fera pela espinha dorsal do mundo; foi ele que encontrei. Sou eu que estou passando por essas provações médicas porque houve um "nós". Somos eu e ele e mais ninguém nesse momento. Fecho os olhos. As árvores aparecem, o vulcão ao longe. A barca flutua em silêncio sobre o rio, debaixo das copas das árvores. É verão e está nevando, está nevando e é um milagre.

Sempre vejo tudo fora de foco ao acordar da anestesia, não me acostumo com isso. Esse sentimento de estranheza que me toma toda vez, é meio como voltar de uma longa viagem e chegar em casa, mas não mais se sentir em seu próprio lar. Tento me reapropriar desse corpo do qual me ausentei por várias horas. Será que fui mesmo até lá? A lembrança do meu sonho é muito real. Flutuei, caminhei, senti cheiros e gostos. Falei com aquele que em princípio eu não deveria compreender. Disse a ele que podíamos fazer as pazes. Minha visão começa a ficar nítida: estou mesmo de volta nessa sala amarelada, sem cheiro. Quer dizer, sim, com cheiro de álcool. Ou de medicamento. Sinto náusea. Continuo viva. Toco suavemente meu rosto, minha garganta. Falta alguma coisa. No meu pescoço, do lado esquerdo, desde o fracasso da primeira operação francesa, havia um gânglio. Um gânglio que vinha aumentando de volume porque estava reagindo ao micróbio nosocomial que tinha estabelecido domicílio na placa de titânio, limpíssima, implantada no meu maxilar. Acabo de voltar para o quarto depois da sala de recuperação e fico inquieta. Pergunto aos internos o que foi feito daquilo. Eles deviam retirar apenas um pedaço do gânglio para análise. Não foi o que aconteceu: levados pelo impulso, e para não se ater a um "detalhe", simplesmente decidiram removê-lo. A ablação era mais simples, eles me dizem. Um pouco de pele, meus cabelos, três dentes, um pedaço de osso e agora também um gânglio. A lista das minhas partidas perdidas na batalha só aumenta.

*

Estou novamente sozinha no quarto, sinto dor. Vomitei sangue há algumas horas. Estou incontestavelmente em 9,9 na escala, e isso é visível, a morfina me salva da prostração. As luzes principais se apagam, um calor suave passa por debaixo da minha epiderme conforme a dor arrefece, eu me instalo confortavelmente. Abro meu caderno preto, fico rabiscando até o dia nascer. Nessa noite, escrevo que é preciso acreditar nas feras, em seus silêncios, em seu comedimento; acreditar nos sinais de alerta, nas paredes brancas e nuas, nos lençóis amarelos desse quarto de hospital; acreditar no retraimento que trabalha o corpo e a alma num não-lugar que conserva sua neutralidade e sua indiferença, sua transversalidade. O que é disforme se torna preciso, se desenha, se redefine tranquila e brutalmente. Desinervar reinervar misturar fundir enxertar. Meu corpo depois do urso depois de suas garras, meu corpo em sangue e sem a morte, meu corpo cheio de vida, de fios e de mãos, meu corpo em forma de mundo aberto onde múltiplos seres se encontram, meu corpo que se recupera com eles, sem eles; meu corpo é uma revolução.

No fim da noite isso me aparece com muita clareza: quero agradecer a ela por suas mãos, suas mãos de mulher que não sabiam, que também não esperavam por isso, encarar as brechas abertas pelo bicho do outro mundo. Suas mãos que retiram, que limpam, que acrescentam, que tornam a fechar. Suas mãos urbanas que buscam soluções para problemas com feras. Suas mãos que transigem com a lembrança de um urso na minha boca, que participam da alteração do meu corpo já híbrido. Digo a mim mesma nessa noite que é preciso abrir a elas um espaço para me curar, um espaço junto a todos aqueles que ainda rondam no hiperbóreo, um lugar junto a todos os acrobatas, caçadores e sonhadores que me são tão caros. Devo encontrar uma posição de equilíbrio que permita a coabitação de elementos de mundos divergentes, depositados no fundo do meu corpo sem negociação. Tudo já aconteceu: meu corpo se tornou um ponto de convergência. É essa verdade iconoclasta que precisa ser integrada e digerida. Preciso desarmar a animosidade dos fragmentos de mundos entre si e em si mesmos para levar em conta somente sua alquimia futura. E para arrematar essa operação de corpo e espírito, é preciso desde já voltar a fechar as fronteiras imunológicas, costurar novamente as aberturas, reabsorvê-las, isto é, decidir encerrar. É preciso cicatrizar. Encerrar é aceitar que tudo aquilo que em mim foi depositado me compõe a partir de agora, mas que daqui em diante não se entra mais. Eu penso: aqui dentro deve mesmo estar parecendo a arca de Noé. Fecho os olhos. A água sobe, os cais se inundam é preciso levantar âncora fechar as escotilhas temos todos aqueles de quem precisamos para enfrentar o oceano adeus vamos navegar.

Nessa manhã a cirurgiã entra, toda afável. Jaleco branco, sapatos verdes. Seus belos cabelos ruivos estão amarrados para trás. Como você está se sentindo? E as interações clássicas que se seguem. Sim, a operação correu bem, agora vai dar tudo certo, sim, estou confiante. Digo que ela tem um ofício e tanto, e que pensei muito nela na noite anterior. Sorriso constrangido. De todo modo não é pouca coisa isso que aconteceu com você, ela me diz. Tem outras que sobrevivem ou você é a única? É como com as mulheres no seu caso, respondo, até tem, mas poucas.

Compreendi algo importante hoje. Curar-me desse combate não é somente um gesto de metamorfose autocentrada. É um gesto político. Meu corpo se tornou um território onde cirurgiãs ocidentais dialogam com ursos siberianos. Ou melhor, tentam estabelecer um diálogo. As relações que se tecem no seio desse pequeno país que se tornou o meu corpo são frágeis, delicadas. É um país vulcânico, tudo pode mudar a qualquer momento. Nosso trabalho, o dela, o meu, e o dessa coisa indefinível que o urso depositou no fundo do meu corpo, consiste, de agora em diante, em "manter a comunicação".
Digo que permanecer viva tanto diante do urso quanto diante "daquilo que virá" neste mundo é aceitar a retomada na forma de uma transformação estrutural. A unicidade que nos fascina aparece enfim como aquilo que ela é, um engodo. A forma se reconstrói segundo um esquema que lhe é próprio, mas com elementos que são, todos eles, exógenos.

Passaram-se duas semanas, os resultados são satisfatórios, me dão alta. Estou no trem, são seis horas da tarde, parto direto para os Alpes. Penso na minha mãe que me espera, nos lençóis da cama cheirando a lavanda, nos purês que ela já está preparando, nas suas mãos em meus cabelos que crescem de novo. O telefone toca. Eu me viro para a janela e atendo baixinho. É a voz do interno, apavorado: é absolutamente necessário que você retorne a Paris. Acima de tudo, não fale com ninguém nem se aproxime das pessoas. O gânglio acaba de revelar algo. Fecho os olhos, uma placa de chumbo cai sobre minha cabeça. Ele não tinha dado em nada durante quinze dias, esse tal gânglio retirado à força. Por que ele tem de se manifestar justo agora, quando enfim estou fora dos muros sem ter fugido, quando considero a perspectiva de uma verdadeira convalescença sem complicação? Que necessidade tem ele de sair inopinadamente de sua câmara escura de cultura para me apanhar logo quando estou alçando voo? Pior, por que estou percebendo uma forma de prazer doentio nesse interno a exercer seu poder de jovem médico detentor da verdade sobre sua paciente que, por sua vez, não está em condição de experimentar a realidade do próprio corpo? Sinto me subir uma raiva. Ou um desânimo, não sei. O interno está fora de si, ele grita ao telefone. Estou lhe dizendo para descer na primeira estação e pegar o trem de volta, ordena ele. Temos fortes suspeitas de tuberculose.

Tuberculose? Eu? Não, acho que não, não sinto nada, respondo. Mas é, sim, minha senhora, sei que é duro de ouvir, mas é assim, você deve voltar urgentemente. Desligo. Como sempre acontece quando me sinto desamparada e não sei mais o que fazer, telefono para minha mãe. Que me diz para não mudar nada nos meus planos, para voltar imediatamente para casa. E não, nós não vamos usar máscaras, não, não vamos isolar você, porque, não, você não tem tuberculose. Minha mãe é uma mulher excepcional. Minha mãe estuda o alinhamento dos planetas. Minha mãe me proíbe de voltar a Paris e até mesmo de continuar respondendo a esse interno histérico que me ordena expressamente sair de casa para evitar que eu contamine as pessoas ao meu redor. Minha mãe faz comida para mim. Minha mãe me diz que me ama.

No fim da noite, meu telefone para de repente de vibrar. Estamos em 13 de novembro. No dia seguinte, ainda esse estranho silêncio que contrasta fortemente com a loucura do dia anterior. Ligo o rádio, fico sabendo. Que os atentados acabam de acontecer, que a França está de luto. Que a Salpêtrière está sobrecarregada, *a fortiori* a unidade maxilofacial. Ironia das contingências; *kairós*. O horror do massacre me tira, logo eu, das garras dos médicos, que me esquecem. Estou entregue a mim mesma e à minha mãe. Respiro.

*

Passo os dias lendo e olhando pela janela à espera da noite, sua proteção, seus sonhos, suas visões, a possibilidade de uma viagem. Não falo muito. Quero poder desfrutar da insularidade, reconstruí-la em meu corpo ao mesmo tempo que admito a incomensurabilidade dos seres que povoam minha ilha interior. Penso que não se trata de: despovoar nossa alma para desfrutar do pouco de insularidade que ela ainda encerra; e sim: fazer do nosso ser esse lugar esse ecossistema onde aqueles que escolhemos — ou que nos escolheram — se tornem comensuráveis, para além dos abismos que os separam. A neve cai lá fora, sou o caçador que segura o peixe nos braços. A neve pousa sobre os galhos das árvores, sou o peixe aninhado nos braços do caçador. A neve recobre tudo, sou o peixe que volta a mergulhar e se transforma em pássaro multicolorido sob a superfície fria e escura do rio.

 Nessa noite, pela primeira vez depois de muito tempo, vejo Dacho. Estamos no Alasca, em Fort Yukon, na cabana onde morei no meu primeiro trabalho de campo de etnografia. Choro. Digo a ele que é difícil, as cicatrizes. Olhe para mim, ele pede. Levanto os olhos em direção ao seu rosto. Eu o observo atentamente e descubro traços bem finos, cicatrizes que eu nunca tinha notado. Ele coloca as mãos nos meus ombros, me diz para ficar calma. As lágrimas param de cair. Lembre-se, murmura ele. A cena muda. Somos projetados para o alto de uma falésia que paira sobre a taiga. É um local estranho, que lembra as montanhas dos Altos Alpes, onde vivo atualmente, os Yukon Flats no Alasca e o Itcha, em Kamtchátka. Ficamos ali em silêncio, escutando os sons que sobem da floresta lá embaixo. Depois ele diz: Você sempre foi feita para esta terra. Silêncio. Ele fecha os olhos e abre a boca, um longo rugido ecoa, ressoando mais e mais ao se propagar no espaço.

*

Estou deitada na cama, acabo de desligar o telefone. Falei com minha terapeuta, Liliane. Eu a conheço faz muito tempo, foi ela quem me ajudou quando meu pai morreu, há catorze anos. Tento refletir sobre o que ela acaba de me dizer. O urso materializa um limite. O acontecimento "urso" e suas consequências exigem que eu renuncie de uma vez por todas à violência com a qual estou no mundo. Recapitulando: no encontro entre mim e o urso, em seu maxilar contra o meu maxilar, existe uma violência inaudita, que exprime a violência que trago em mim. Desenrolando o fio do pensamento dela, fui procurar do lado de fora algo que está em mim, o urso é um espelho, o urso é a expressão de alguma outra coisa que não ele mesmo, algo que concerne a mim. Eu me deito de costas, me concentro nas gotas que escorrem na janela da mansarda. Fico aborrecida. Pior que isso, irritada. É inteligente como raciocínio. A palavra que me vem à mente: *clever*. Mas alguma coisa não bate, algo de essencial, que não consigo captar totalmente por enquanto. Fico resmungando enquanto ouço a chuva. Odeio esse sentimento de renúncia que aflora. O que foi que aconteceu aqui para que os outros seres sejam reduzidos a refletir apenas nosso próprio estado de espírito? O que fazemos da vida deles, de suas trajetórias no mundo, de suas escolhas? Por que é que nessa história e para desenredar os fios do sentido seria preciso que eu atribuísse tudo a mim, aos meus atos, ao meu desejo, à minha pulsão de morte? Porque aquilo que está no fundo do corpo do outro será para sempre inacessível a você, Liliane teria fatalmente me respondido. *A fortiori* no fundo do corpo de um urso. É verdade, e isso me consome. Quem pode dizer o que ele traz em si, o que ele sente, quem é capaz de elaborar, acerca dos motivos que o levam a se mover, para além de uma explicação funcionalista de base? Há coisas que nunca saberei, é óbvio. O que não quer dizer que seja preciso renunciar, renunciar à exigência de compreender mais.

    Meu outro problema hoje é a simbologia: ela me apanha mesmo que eu a rejeite, ela me cansa profundamente. Pensando no urso daqui onde me encontro, desse quarto na casa da minha mãe na França, não consigo escapar do jogo de analogias. Eu me pergunto inevitavelmente a que a figura "urso" pode vir a corresponder aqui no Ocidente (já tenho lá minhas ideias sobre a vertente animista da questão), a que ela bem pode aludir. Faço listas para passar o tempo; essas listas me fazem rir ao mesmo tempo que me deprimem.
    A força. A coragem. A temperança. Os ciclos cósmicos e terrestres. O animal favorito de Artemísia. O selvagem. A toca. O recuo. A reflexividade. O refúgio. O amor. A territorialidade. A potência. A maternidade. A autoridade. O poder. A proteção. E a lista se estende. Eis-me aqui em maus lençóis.
    Se o urso é um reflexo de mim mesma, que expressão simbólica dessa figura estou explorando com mais frequência? Se não tivesse acontecido seu olhar amarelo no meu olhar azul, talvez eu pudesse me satisfazer com essas correspondências. Ainda que preferisse usar o termo *ressonância*. Mas aconteceu o entrelaçar dos nossos corpos, aconteceu esse incompreensível *nós*, esse *nós* que, de maneira confusa, sinto vir de longe, de um antes situado bem aquém de nossa existência limitada. Fico revirando essas perguntas na minha cabeça. Por que nós nos escolhemos? O que tenho realmente em comum com a fera e desde quando? A verdade sobre mim é que nunca busquei pacificar minha vida, e menos ainda meus encontros. Nisso minha terapeuta tem razão, não estou em paz. Ignoro até o que essa palavra significa. Trabalho há anos

num Grande Norte[8] assolado por profundas mutações. Sei lidar com as metamorfoses, a explosão, o *kairós*, o acontecimento. Encontro o que dizer, porque a situação de crise sempre me parece boa para pensar; porque ela contém a possibilidade de uma outra vida, de um outro mundo. Porém nunca soube lidar com o apaziguamento nem com a estabilidade; a calma não é meu forte. Penso que, mesmo sem admitir, devo ter ido procurar nos planaltos de altitude aquele que revelaria afinal a guerreira que existe em mim; que certamente foi por esse motivo que, quando ele atravessou meu caminho, não fugi dele. Ao contrário, mergulhei na batalha feito uma fúria do inferno, e acabamos marcando nossos corpos, cada um com o sinal do outro. Tenho dificuldade em explicar isso a mim mesma, mas sei que esse encontro foi planejado. Há tempos vim preparando o terreno que me levaria até a boca do urso, em direção ao seu beijo. Penso: quem sabe, talvez ele também.

Creio que, ainda crianças, herdamos territórios que nos será preciso conquistar ao longo de toda a vida. Quando pequena, queria viver porque existiam as feras, os cavalos e o chamado da floresta; as vastidões, as montanhas elevadas e o mar tempestuoso; os acrobatas, os equilibristas e os contadores de histórias. A antivida se resumia à sala de aula, à matemática e à cidade. Felizmente, no começo da idade adulta, encontrei a antropologia. Essa disciplina constituiu para mim uma porta de saída e a possibilidade de um futuro, um espaço onde me exprimir neste mundo, um espaço onde me tornar eu mesma. Simplesmente não medi o alcance dessa escolha, e menos ainda as implicações que meu trabalho acerca do animismo acarretaria. Sem saber, cada uma das frases que escrevi

---

8 O Grande Norte designa as partes do hemisfério norte com baixa densidade humana ocupadas pela taiga, a tundra e as regiões glaciais do Ártico, incluindo territórios do norte do Canadá, do Alasca, da Sibéria, da Groenlândia, o norte da Rússia europeia e o norte da Fino-Escandinávia. [N.T.]

sobre as relações entre humanos e não humanos no Alasca me preparou para esse encontro com o urso, prefigurou-o de alguma maneira.

    Cansada, eu me sinto incapaz de ir além por enquanto. A água continua a pingar na janela da mansarda e eu tenho que decidir esperar. Digo a mim mesma que nada nunca se desvela com um gesto. Ou melhor: que depois dos instantes de fulgurância da quase-morte e da impressão de clareza e de evidência que me foi imposta, um véu caiu novamente sobre os acontecimentos e sobre o resto da minha vida.

Não estou com tuberculose. Os exames são irrefutáveis e os médicos do setor de infectologia de Grenoble contestam o diagnóstico de seus colegas parisienses. Eles telefonam várias vezes para a Salpêtrière, mas, cúmulo do absurdo, o gânglio que estava em cultura desapareceu, ninguém consegue pôr as mãos nele! Me submeto a uma bateria de exames complementares, e nada. Nem sombra de micróbio. Afastei os invasores. A menos que os invasores fossem apenas fictícios, imaginados por médicos escrupulosos, mas enredados num *tragos* mortífero. Me inclino para a segunda opção, mas nunca saberei a palavra final dessa história.

    Estamos em dezembro, devo retornar a Paris para minha consulta pós-operatória com a cirurgiã. Sala de espera lotada, senhas numeradas, cadeiras verdes, linóleo verde, cheiro de hospital, vontade de vomitar que toma o peito, aperto no estômago que revira as tripas. Entro enfim em seu consultório. Ela me espera de jaleco branco, sapatos verdes, cabelos ruivos amarrados. Está tudo bem, diz ela ao me auscultar, sem secreções, sem infecção, e a radiografia mostra que o enxerto pegou, meu osso mandibular está voltando a crescer. Daqui a alguns meses, você poderá mastigar e ingerir alimentos sólidos de novo. Daqui a algumas semanas, faremos uma consulta de acompanhamento. Isso eu acho que não, penso comigo mesma. Daqui a algumas semanas, não estarei mais aqui.

Caminho pelas ruas do 18º *arrondissement* com um grande lenço enrolado em volta do pescoço e do rosto para proteger minhas cicatrizes. Está chuviscando e ventando, está fazendo aquele frio parisiense úmido e gélido que se insinua até por debaixo da pele. Chego à rua Ponthieu, avisto o prédio do vhs da Rússia. vhs de Visa Handling Service.[9] Entro e espero, uma vez mais. Fico revirando na minha cabeça a probabilidade de o meu plano dar certo. No quarto de hospital em Petropávlovsk, me vejo de novo observando discretamente a ficha que o agente do fsb está preenchendo com ar consciencioso. Eu me lembro muito claramente de vê-lo anotar *Marten* em vez de *Martin*, e *Nastasia* em vez de *Nastassja*. Nada mal o cirílico e sua fonética, pensei comigo. É prático que ele tenha me fichado com outro nome. Mas será que isso vai bastar? Tomara que funcione, repito mentalmente como uma prece silenciosa.

Chamam meu número, eu me apresento no guichê. Todos os documentos estão conformes, carimbo, pagamento, nada a declarar, consigo o visto.

*

Grossas lágrimas correm pelo rosto de minha mãe. Voltei de Paris ontem, estamos à mesa, é meio-dia. Não sei como anunciar a ela de outra forma que não brutalmente; a delicadeza nunca foi meu forte. Vou para lá de novo. Quando? Em duas semanas. Não tenho mais nenhuma infecção, as radiografias

---

9 Serviço de tramitação de solicitações de vistos da embaixada russa. [N.T.]

estão boas e não dão margem a dúvidas: posso partir. Também digo que viver em minha casa me é insuportável neste momento, que o olhar dos meus amigos sobre meu rosto é insustentável e que a pena que percebo nos olhos deles não me ajuda a enxergar além daquilo que é dado imediatamente a ver. Devo me afastar para me curar. Estar protegida das pessoas. Dos médicos. Das prescrições e dos diagnósticos. Longe dos antibióticos. Mais longe ainda da luz elétrica. Quero escuridão, uma gruta, um refúgio, quero velas, à noite, luzes suaves e difusas, frio do lado de fora, quente do lado de dentro e peles de animais para calafetar as paredes. Mãe, devo voltar a ser a *mátukha* que desce para sua toca para passar o inverno e recuperar as forças vitais. E, além do mais, há mistérios que ainda não entendi por inteiro. Preciso voltar para perto daqueles que conhecem os problemas de ursos; que continuam falando com eles em seus sonhos; que sabem que nada acontece por acaso e que as trajetórias de vida se cruzam sempre por motivos bastante precisos.

Minha mãe chora, mas sabe, no fundo, que é minha única saída. Mais tarde, a maioria de suas amigas fará sua fé vacilar repetindo aquela história de limites. Encontrei o urso porque não soube colocar limites entre mim e o exterior; não soube colocar limites porque minha mãe nunca foi capaz de colocá-los a mim. Você deveria ter sido autoritária para variar e dito à sua filha que não. Você deveria enquadrá-la. Dissuadi-la. Impedi-la. Contê-la. Pobre mãe, pobres amigas. Na verdade, jamais gostei das normas nem das convenções, menos ainda da etiqueta. Mas, mãezinha, dessa vez estou partindo para que você entenda que entre mim e o urso existe outra coisa além de uma história de fronteira mal definida e de violência projetada. Minha mãe aguenta firme, ela não fraqueja; minha mãe compreende que sua filha está ligada a uma floresta e que nela deverá mergulhar uma vez mais para terminar de se curar por dentro.

Felizmente existe a Marielle. Fria, distante, justa. Marielle faz direito e não é à toa. Marielle é nossa maior amiga, da minha mãe e minha. É estranho, ela que não sai das cidades, uma bela mulher bem-arrumada, impecável, penteada, às vezes até afetada. É estranho, mas acho que ela entende meus problemas de fera. Quando fica sabendo da notícia de minha partida, ela conversa com minha mãe, fala na linguagem dela, a linguagem dos astros e dos mitos, das ressonâncias e das correspondências. Ela lhe recorda Artemísia e a floresta sem a qual ela se desintegraria. Evoca Perséfone, que desce na escuridão para melhor retornar em direção à luz. Fala do movimento e da dualidade. Da metamorfose. Da máscara. Da refiguração após a desfiguração. Da primavera após o inverno. Marielle me faz até chorar uma vez, porque, ao tocar minhas cicatrizes vermelhas, ela diz que a partir de agora eu encarno a deusa dos bosques.

*

Dezembro. Estou de volta à minha casa nas montanhas esperando pela partida. Está nevando, vejo pela janela a Meije,[10] que se esfuma suavemente no nevoeiro. Faço desaparecer da mente os olhos de um amigo que essa manhã, ao cruzar comigo no estacionamento, não me reconheceu. Pobrezinha, disse ele apenas. Não é tão grave assim, respondi, antes de me enfiar no carro do meu vizinho camponês que veio me buscar. Ele me disse para esquecer isso quando viu caírem minhas lágrimas, me ofereceu uma cerveja ao chegar em casa.

Passo algum tempo lendo, tento escrever, mas não consigo. Pego meus cadernos de campo e o caderno preto. Eu o abro, percorro suas páginas. De repente paro, atordoada. Acabo de me deparar com um trecho escrito antes da minha partida para

---

10 Segunda montanha mais alta do maciço dos Écrins, situada na fronteira dos departamentos franceses de Altos Alpes e Isère. [N.T.]

Kamtchátka há exatamente um ano. O tempo para. Será que existe um limite à palavra performativa?

30 de dezembro de 2014

Na véspera da transição ao outro ano à outra vida
    ao outro eu ao outro simplesmente
Eu tremo de medo
A sombra é densa a noite me ofusca
Prisioneira do meu corpo imóvel o joelho pregado na terra
a cabeça inclinada para o chão
Eu espero
Que o bicho de dentro se recomponha e recupere seus direitos
Que ele se apodere de sua potência
Os dias se alongam a toca se estreita
A hora de sair à luz do dia está próxima
Das garras que se fincarão novamente na poeira
    nascerá um vulcão
E quando ele ganhar vida
É a terra que vai tremer.

Os flocos rodopiam no céu branco. Penso no que poderá vir a ser, a continuação. Quatro meses; e a floresta que aguarda. A beleza dessa coisa que aconteceu, que me aconteceu, é que sei de tudo sem saber de mais nada. Será que vou sentir as patas dos pássaros que saltam na terra? O sussurro de suas asas ao longe, a textura de sua respiração?

Alguma coisa acontece
Alguma coisa se aproxima
Alguma coisa se abate sobre mim
Eu não tenho medo

Primavera

Estamos no dia 2 de janeiro. As rodas do avião chiam em contato com o solo congelado. Desço na pista com os outros passageiros, faz trinta graus negativos. Iúlia e as crianças me esperam atrás do portão. Iúlia não mora na floresta com a família, passa apenas quatro meses por ano lá, no verão. Há dez anos ela se casou com Iarosláv, um militar russo de ascendência ucraniana. Desde então, mora com ele e seus filhos em Viliútchinsk, a maior base naval de Kamtchátka, situada ao sul de Petropávlovsk. Viliútchinsk é proibida aos civis russos sem autorização especial, e estritamente proibida a estrangeiros, com ou sem autorização. Mas Iúlia é minha amiga, minha irmã, minha Iulieta, e sobretudo a única pessoa com quem tenho vontade de estar nessa cidade caótica. A qualquer hotel decadente e barato, ou mesmo muito caro, mas falsamente luxuoso, com fachada e decoração postiças, prefiro mil vezes seguir minha amiga em sua prisão, para além do fiorde sob o vulcão.

Percorremos os quarenta primeiros quilômetros que nos separam da base, já consigo distinguir os prédios junto ao mar, encostados no vulcão. O posto de controle já não está tão longe: antes de alcançá-lo, paramos o carro numa área rebaixada da estrada. Retiramos os galões de água e os cobertores do porta-malas. Eu me deito no chão entre o banco traseiro e os assentos dianteiros, de lado e de comprido. Iúlia e Iarosláv me cobrem com os cobertores e amontoam os galões por cima. Estou invisível. Passo cinco minutos muito penosos, mas, depois de tudo o que aconteceu comigo nos últimos meses, tenho quase a impressão de estar dando um passeio no parque. Ou, pelo menos, de estar apenas cumprindo uma formalidade. Ouço a voz do soldado, depois a do marido de Iúlia, que responde. Ouço suas botas de couro, pretas, imagino eu, estalarem no asfalto. O porta-malas se abre, ele verifica o carregamento. Tudo está em ordem. *Khorochó, do svidânia.* Seguimos viagem. A impressão de cair na boca do lobo, de um outro tipo de lobo, mais tenaz que o canídeo selvagem quando apanha você. O ponto positivo é que ninguém poderá me encontrar aqui, eu penso. Em meio aos submarinos sobreviventes da Guerra Fria e aos militares de uniforme, evidentemente, estou bem escondida. É toda uma tática que imaginamos Iúlia e eu, como boas jovens recalcitrantes que somos: esconder-se justamente ali, de onde vem a ameaça, no quarto de dormir do inimigo. Você chega ao ponto de senti-lo em si mesma, você o experimenta, é contida por ele e o contém; sendo forte o suficiente, você o amansa, doma; e um dia, quando tiver entendido bem a lógica dele, você se liberta.

Tirei a cabeça para fora do monte de cobertores, os galões se espalharam por toda parte. Nós rimos às gargalhadas. Nem mesmo Iarosláv consegue evitar que lhe escapem umas risadas. Ter transgredido a ordem estabelecida nos aproxima. Iarosláv olha para trás, fixa seus olhos azuis nos meus. Caralho, você, a francesa, você espantou um urso. Se não conseguirmos enganar um soldado, o que nos resta? O concerto de nossas risadas faz o carro sacudir. Depois, Iúlia, enxugando dos olhos as lágrimas de contentamento, coloca um dedo sobre os lábios, retomando um ar sério. Não se esqueça, Nástia.

Em público, nem uma palavra. Nas lojas, você não abre a boca. Poderiam reconhecer o seu sotaque francês. Se não disser nada, ninguém vai suspeitar que você não é russa.

  Cale-se. Você é você. Matar você. Por que não. Tudo é permitido quando renascemos das próprias cinzas.

*

Pela janela distinguimos o porto militar com seus submarinos em restauração, os militares ocupados em meio às máquinas enferrujadas que estão por toda parte. O braço de mar está completamente congelado. O ar é glacial, partículas de geada brilham na luz invernal, rosa acima do mar, violeta sobre o vulcão em frente. Na casa faz muito calor. Tanto que somos obrigados a abrir um pouco a janela para respirar. Não é possível ajustar a temperatura. São assim, Nástia, as cidades russas no inverno, Iúlia me diz.

  O apartamento se resume a dois cômodos e uma cozinha. Um surrado papel de parede marrom com flores vermelhas. Uma banheira curta no lavabo. Vestígios de umidade que mancham os tabiques de cima a baixo. Fios elétricos expostos. Rachaduras que fendem as paredes e o teto. A cozinha, minúscula, constitui o centro desse mundo. Nela encontra-se uma mesinha com uma toalha de plástico bege, também florida, quatro banquinhos, um fogão a gás, uma pia e uma janelinha que dá para os fundos do prédio, de onde é possível ver um monte de neve de vários metros de altura. Iúlia e eu ficamos ali boa parte da noite, contando histórias de mulheres e falando de política. Bebemos vodca tranquila mas resolutamente, um copinho a cada hora. Ela me mostra as fotos da floresta. Nesta, mamãe está preparando o peixe; aqui, Ivan está pescando; nesta outra, Volódia está cuidando dos cavalos. Ah, e aqui é você e mamãe tomando chá dois anos atrás, você se lembra?

Sim, claro que me lembro, minha Iúlia, lembrar-me é meu ofício. A certa altura da noite, quando esgotamos as palavras e a garrafa, vou me deitar na cama ao lado de Vassilína, a filha dela. Ela gosta quando dormimos juntas, e eu também. Ao acordar, ficamos um bom tempo sob os lençóis, cochichando. Ela toca meus cabelos curtos, isso a faz rir, é diferente, ela diz, mas é engraçado. Começa a me falar da floresta, de Tvaián. Ela se pergunta o que eles estariam fazendo nesse momento. Vejamos, são dez horas da manhã. Talvez *bábuchka* esteja cozinhando. Talvez Ivan esteja voltando da caça. Ou talvez eles tenham ido buscar lenha. Talvez, pode ser.

Mais tarde no mesmo dia, Vassilína desenha. Ela desenha árvores, o rio, raposas, a casa de Tvaián, peixes. Desenha o contorno dos ausentes, colore, incansavelmente. Adoro isso, desenhar, porque assim escapo daqui, ela me explica. Papai diz que não se deve sonhar muito. O que você acha? Reflito. Acho que não se deve fugir ao não realizado que jaz no fundo de nós, que é preciso confrontá-lo. Não sei como traduzir isso com palavras simples, então digo: Vassilína, se crescer é ver seus sonhos morrerem, então crescer se torna morrer. Melhor esnobar os adultos, quando nos fazem acreditar que os compartimentos já estão lá, prontos para serem preenchidos.

Fui embora nessa manhã. É um amigo de Iaroslàv que dirige, um tanto rápido demais para o meu gosto, um 4×4 verde e enferrujado. Não gosto desse tal de Kólia. Ele tem um rosto flácido e vermelho, na sua testa escorrem gotas de suor. Não tive escolha: é a única pessoa do círculo de Iúlia e Iaroslàv que pôde se liberar tão rapidamente, aceitando me levar às portas da floresta, a mais de oitocentos quilômetros daqui, por uma módica soma de dinheiro negociada às pressas. Fazemos uma parada em Mílkovo para nos reabastecer de água, combustível e comida, já é noite. Série de conjuntos habitacionais de concreto rachados. Gagárin em uma fachada, cccp, a estrela, a foice, o martelo: nada disso está longe. Em Mílkovo, como em todos os lugares do Grande Leste, esse passado foi ontem. Na loja, subo a gola de lã o mais alto que posso sobre o rosto, mas não consigo esconder o inchaço da minha face direita. A moça do caixa me encara: você está com dor de dente? Sim, isso mesmo. Estou com dor de dente. Aguentar. Nós nos precipitamos de novo para dentro do veículo.

O 4×4 sacode sobre a pista congelada. Oito horas em que chacoalhamos no frio glacial. Uma luz no fim da estrada: Chanutch, enfim. Distingo os faróis acesos, uma moto de neve está estacionada na beira da pista. Alívio. Me desentranho do banco, sinto dor no rosto, na cabeça, em tudo. Eu o vejo, ele me espera na noite. Ivan. Desabo em seus braços, mal consigo conter as lágrimas, queria lhe dizer tudo sem demora, o tanto que havia sido difícil, como quase morri lá, o quanto me senti sozinha com os vestígios de urso sobre o corpo. Mas eu me calo porque eles nos olham. Os dois russos do posto de controle de Chanutch. Os vigilantes da mina. Eles nos observam intensamente, fumando na porta de sua caserna. Claramente não entendem o que veem. Dois estrangeiros que tudo parece separar, que se abraçam como membros de uma mesma família.

Tenho que me preparar para enfrentar o frio que nos espera no caminho. Eu me aproximo da guarita amarela do posto de controle e dos dois sujeitos. Visto assim, poderia parecer um farol tranquilizador em meio às terras gélidas. Que bela ilusão de óptica, eu penso, desde que o antigo vigilante Alexei foi embora, Chanutch não tem mais nada de refúgio nem de luz acolhedora no fundo da noite. Chanutch é uma *no man's land* entre dois mundos. Chanutch é o Estige com seus cérberos.

Digo oi, tudo bem, peço para entrar para me trocar em um lugar aquecido. Um dos dois russos do posto me reconhece afinal. Nástia, é você? Bem, sim. Mesmo olhar patético. Uma vez lá dentro, tiro meu gorro, meto um capuz e por cima a *uchánka* de pele de rena que Dária, mãe de Ivan, costurou para mim. Esse sujeito — não lembro o nome porque também não gosto dele — repara nos meus cabelos curtos e quase castanhos. Ele fuma um cigarro me esquadrinhando com o olhar. Onde foram parar seus belos cabelos loiros? Escroto. Assimilo o golpe. Que desgraça, ele continua. Sim, respondo laconicamente. Ele começa então a vituperar contra os indígenas que vivem em algum lugar na floresta para além das montanhas, tão pobres e carentes que não têm nem casa nem eletricidade, que se abrigam certamente embaixo de raízes ou em buracos de árvores, como animais, ele explicita. Ele manifesta a repugnância que sente ao me ver voltar para lá mais uma vez. Eu não o escuto mais. Termino de me equipar pensando no grande cão branco de nome Shaman que tinha nos protegido, Charles e eu, do urso aqui mesmo há alguns anos, o grande cão branco de olhos tão doces que esse bruto matou numa noite de bebedeira. Pobre Shaman. Pobre Alexei. Se ele soubesse, ficaria doente de tristeza. Fugir, depressa, penso.

Uma borrasca de vento e neve invade o cômodo quando Ivan abre a porta, ande depressa, ainda temos estrada pela frente e já é tarde. Os dois homens se olham de cima a baixo sem uma palavra, o silêncio cai sobre Chanutch. Reúno minhas coisas, cumprimentos mínimos, estou fora. Eu me instalo sobre as peles do trenó, enfio as luvas sem divisão para os dedos, agarro as cordas. O motor ronca. A luz lívida desaparece lá atrás, o escuro da noite se adensa. Penetramos na floresta, fecho os olhos, deixo o frio me entorpecer, respiro.

Minhas correntes jazem diante da cabana de Chanutch aos pés dos dois escrotos, mais nenhuma amarra tolhe meus membros. Lágrimas começam a escorrer, logo inundam meu rosto e congelam sobre minha pele. A impressão de deixar o mundo atrás de mim; uma versão do mundo; meu mundo.

No qual me tornei inadequada; no qual fracasso em compreender a mim mesma.

Há três anos, Dária me contou sobre a derrocada da União Soviética. Ela me disse, Nástia, um dia a luz se apagou e os espíritos retornaram. E voltamos para a floresta. Sobre meu trenó na noite gélida, deixo meu pensamento vagar em torno da frase. De onde venho a luz não se apagou e os espíritos fugiram. Tenho muita vontade de apagar a luz. Eu também, nessa noite, volto para a floresta.

*

É meia-noite, chegamos a Manach, o primeiro campo de caça da família even com a qual vivi durante todos esses anos. Os tios de Ivan nos esperam. Tomamos chá em silêncio. Que bom que você sobreviveu, diz Artium por fim. Não precisa ter raiva dele. Você sabe como eles são... São como nós. Eu sei, respondo. Na verdade, não tenho muita vontade de falar, ele sabe, ele sente, ele se cala, ele vai dormir. Amanhã você será outra.

Ao amanhecer, olho pela janelinha da cabana, vejo um Buran que jaz não longe dali entre as árvores, de uma cor laranja mais que desbotada, o motor à mostra. O que é aquilo, pergunto a Ivan, rindo. É ela, ele me responde, o olhar maroto. Nossa montaria até Tvaián. O de ontem é do Artium. Este aqui é o meu. Ah. E ele funciona? Tenho as minhas dúvidas. Ele anda, claro que anda! Nós empilhamos os víveres no trenó, minha mochila por cima, eu me acomodo. Ivan, como sempre, viaja sem nada. Partimos. O dia inteiro avançamos ruidosamente por entre as árvores, na direção oeste, o vulcão Itchinski vai se distanciando atrás de nós, e com ele as nascentes do rio

Itcha, que atravessa a enorme extensão de floresta onde estamos para ir desaguar no mar de Okhótsk. Há uma centena de quilômetros a percorrer. Paramos para esticar as pernas, para esquentar os pés e para consertar o Buran, que enguiça ou superaquece com frequência. Ivan tira as luvas, mergulha as mãos no motor, amarra cordas e barbantes em torno das peças soltas, calça novamente as luvas. Ele ri. Está vendo, nada mudou realmente aqui. O Buran é meio como uma rena. Ele também é conduzido com cordas! Seguimos viagem. Em pleno vento, a temperatura chega perto dos cinquenta graus negativos. Penso na cabana de madeira sob a neve, no fogo, em Dária que espera. Tvaián é um dos confins do mundo, de verdade.

*

Faz alguns dias que chegamos a Tvaián, eu me dedico a não fazer nada, queria até tentar parar de pensar. Essa manhã, penso que é preciso sobretudo que eu pare de querer — entender curar ver saber prever imediatamente. No fundo dos bosques congelados, não se "encontram" respostas: aprende-se antes de tudo a suspender o próprio raciocínio e a se deixar levar pelo ritmo, aquele da vida que se organiza para que possamos nos manter vivos numa floresta durante o inverno. Tento achar em mim um silêncio tão profundo quanto o das grandes árvores que lá fora se mantêm imóveis e verticais no frio. Dei meia-volta, reviravolta. Faço o caminho de volta como as zibelinas na neve quando enganam seu perseguidor. Não sei aonde vou, talvez a lugar nenhum, estou em uma toca e isso me basta. Avalio a grandeza da imensidão à minha volta e os minúsculos gestos do cotidiano do lado de dentro, expressão de uma paciência infinita, própria aos humanos que se mantêm aquecidos esperando a explosão da primavera.

Todo dia Dária desfia carne de rena para mim, extrai a medula óssea, me dá lâminas de fígado cru (para a digestão), de coração cru (para a recuperação), de pulmão (para a respiração). Ela também me serviu um copo de sangue quente (para a força) quando matamos a rena. Estou mais vulnerável que nunca dentro dessas quatro paredes, e é precisamente por isso que hoje *vejo*. A sóbria beleza das idas e vindas diárias; a necessidade do menor movimento deles; a discrição que demonstram entre si e com relação a mim. Eu me deixo enfim ser levada por essa lógica de vida rotineira; tenho a impressão de desfazer um por um os passos que me levaram para dentro da boca de uma fera.

A criança possui uma coisa que o adulto procura desesperadamente ao longo de toda a sua existência: um refúgio. São as paredes do útero com todos os nutrientes afluindo cotidianamente e que é preciso às vezes conseguir reconstruir em torno de si. Tenho a estranha impressão de que, quando fracassamos, o mundo procura nos levar de volta a esse lugar por meio de um golpe do destino, alguma coisa exterior nos faz retornar à vida interior num confinamento a portas fechadas *a priori* lúgubre, mas na realidade salvador. Quatro paredes apertadas, uma porta pequena e contatos restritos — Victor Hugo na ilha, na paróquia diante do mar, compõe seus versos; Soljenítsin nos bosques do Vermont se recupera da história russa; Trótski em suas prisões escapa da morte e escreve; Lowry em sua cabana diante do mar compila a agitação do mundo no entanto invisível dali onde ele se encontra. O que faço de diferente daquilo que eles realizaram, na minha floresta sob o vulcão, de volta da quase-morte que me espreitou? O que faço senão ousar dar um passo para o lado para ver melhor, ver os sinais que pulsam em mim e que anunciam a Época, suas contradições, seu furor, sua tragédia e sua impossível reprodução? Vi o mundo demasiado *alter* do bicho; o mundo demasiado humano dos hospitais. Perdi meu lugar, procuro um entremeio. Um lugar onde me reconstituir. Esse recolhimento deve ajudar a alma a se reerguer. Porque será muito necessário construir essas pontes e portas entre os mundos; porque renunciar jamais fará parte do meu léxico interior.

São cinco horas da manhã, ouço Dária que assopra as brasas para reacender o fogo. Eu me levanto do leito enrolada em um cobertor, desvio dos meninos deitados no chão sobre as peles, me sento no banquinho ao lado dela em frente ao fogão. Esperamos em silêncio; a água ferve por fim. O chá quente aquece nosso corpo. Em seguida, ela ergue os olhos na minha direção, sorri na penumbra, um sorriso sóbrio e tímido, um sorriso cheio de amor. Cochicha: às vezes alguns animais oferecem presentes aos humanos. Se eles se comportaram bem, se eles escutaram bem ao longo de toda a vida, se não alimentaram muitos pensamentos maus. Ela abaixa os olhos, suspira suavemente, levanta a cabeça, sorri de novo: você é o presente que os ursos nos deram ao deixarem a sua vida salva.

Estou sentada na neve na beira do rio Itcha, reflito sobre as palavras de Dária. Não gosto de sentir o que estou sentindo, queria jogar minha irritação na água sob o gelo. Estou perplexa, porque entendo duas coisas do que Dária me disse. A primeira, que me comove e me toca profundamente, que me lembra os motivos da minha presença em Tvaián. A segunda, que me é insuportável e me revolta, que me dá vontade de fugir uma segunda vez.

Quanto ao que me toca. Existe de fato aqui uma coisa diferente daquilo em que nós, no Ocidente, depositamos confiança. As pessoas como Dária sabem que não são as únicas a viver, sentir, pensar, escutar na floresta, e que outras forças operam em volta delas. Há aqui um querer exterior aos homens, uma intenção fora da humanidade. Nós nos encontramos em um ambiente "socializado em toda parte porque percorrido incansavelmente", teria dito meu antigo professor Philippe Descola. Ele reabilitou o termo *animismo* para qualificar e descrever esse tipo de mundo; eu e outros o seguimos de corpo e alma nesse caminho. Na frase "os ursos nos dão um presente", existe a ideia de que um diálogo com os animais é possível, ainda que ele se manifeste apenas raramente sob uma forma controlável; existe também a evidência de viver num mundo em que todos se observam, se escutam, se lembram, dão e retomam; existe ainda a atenção cotidiana a outras vidas que não a nossa; existe enfim a razão pela qual eu me tornei antropóloga.

Por que você quer viver conosco? Dária tinha me perguntado alguns dias depois do nosso primeiro encontro. Por isso, eu tinha dito. Porque existem formas muito antigas que não desapareceram, e porque com vocês elas são atualizadas. Mas isso não é tudo, e é aí que mora o problema. Com relação ao que me revolta, então. Quando Dária diz que o urso, ao me devolver sã e salva ao mundo dos humanos, deu a eles um presente, o urso e eu nos tornamos mais uma vez a expressão de outra coisa que não nós mesmos; o desfecho do nosso encontro fala aos ausentes, fala *dos* ausentes. Quebro a cabeça tentando ver a água que corre sob o gelo, é difícil porque a camada é espessa. Penso: um urso e uma mulher são algo grande demais como acontecimento. Grande demais para não ser assimilado de imediato num sistema de pensamento ou noutro; grande demais para não ser instrumentalizado por um discurso particular ou, em todo caso, para não se integrar a ele. O acontecimento deve ser transformado para se tornar aceitável, deve por sua vez ser *comido* e depois *digerido* para fazer sentido. Por quê? Porque *isso* é terrível demais de se imaginar, porque *isso* sai dos moldes do entendimento, de todos os moldes, mesmo daqueles dos caçadores evens no coração de uma floresta em Kamtchátka.

Já que é assim, já que vou necessariamente ser forçada a entrar nos moldes de uns e de outros como um triângulo num círculo ou um círculo num quadrado, é preciso que eu, para não virar o quadrado ou o círculo que não sou, consiga suspender meu julgamento. Pois é para mim que ele surgiu; é para ele que eu apareci. É duro deixar o sentido flutuar. Dizer a si mesma: não sei tudo sobre esse encontro; deixo de lado os supostos *desiderata* do mundo dos ursos; faço da incerteza um presente. É preciso então refletir sobre os lugares, seres e acontecimentos protegidos por uma sombra e cercados por um vazio, no cruzamento desses nós de experiência que os esquemas relacionais falham em englobar, não conseguem estruturar. Eis nossa situação atual, a do urso e a minha. Nós nos tornamos um foco de atenção sobre o qual todo mundo fala, mas ninguém capta. É precisamente por essa razão que não paro de tropeçar em interpretações redutoras, até mesmo triviais, por mais bem-intencionadas que sejam: porque estamos diante de um vazio semântico, de algo fora do enquadramento, que diz respeito a todos os coletivos e que lhes dá medo. Daí a pressa de uns e outros para rotular, para definir, delimitar, dar uma forma ao acontecimento. Não deixar pairar a incerteza a seu respeito é normalizá-lo para fazer com que entre no coletivo humano custe o que custar. E contudo. O urso e eu falamos de liminaridade, e, mesmo que seja assustador, ninguém mudará nada disso. Os galhos estalam atrás de mim, vem vindo alguém. Decido: eles dirão o que quiserem. Quanto a mim, vou permanecer nessa *no man's land*.

Mão sobre o meu ombro. Tudo bem? Tudo bem. Ivan se senta ao meu lado na neve, saca um cigarro, acende, quer um? Por que não? Fumamos em silêncio. Você estava pensando em quê? Fecho os olhos, não consigo juntar duas palavras que sejam, com minha cabeça fervendo desde agora há pouco. E em seguida, subitamente, desabo. Abaixo a cabeça, escondo o rosto nos joelhos, lágrimas começam a rolar nas minhas faces, logo é uma torrente que escorre. Sinto meus ossos estalando, meus dentes quebrando, a mordida da mandíbula que se afrouxa e, é insuportável, o gosto do sangue que aflui na boca. Arrrgggggg, eu gemo entre dois soluços. Ivan suspira, envolve meus ombros com seu braço esquerdo, saca outro cigarro de seu bolso direito se contorcionando. Fogo, fumaça. Você o revê?, ele pergunta. Sim, tudo. A cena, que se repete sem parar. Nem um pouco agradável. Respondo. Enxugo as lágrimas, me desvencilho de seu abraço, o *flashback* está desaparecendo de trás dos meus olhos, expiro ruidosamente. Vem, vamos tomar chá, você está congelando. Ele joga o cigarro sobre o gelo, toma meu braço para me ajudar a me levantar, damos as costas ao rio, voltamos para casa.

*

Meu estômago está cheio de carne de rena, me sinto bem. Faz um calor quase insuportável, mas é sempre assim; nas noites de inverno, antes de dormir nas cabanas, é preciso colocar lenha no fogão para passar a madrugada inteira. Estou deitada no escuro sobre uma pele de rena, mas sem cobertores, os meninos estão à direita, no chão, sobre outras peles, Dária costura, sentada ao meu lado. Natacha, sua filha, e Vássia, o genro mais velho que ela (ele tem setenta anos), chegaram há pouco, estão preparando seu leito perto do fogo. *Polováia jizn*, Ivan gosta de dizer rindo, evocando a vida ao rés do chão.

 Volto a pensar em tudo o que aconteceu mais cedo, os murmúrios do crepúsculo me acalentam. Fico estagnada num estado de sonolência, e subitamente um véu se ergue. Volto a abrir os olhos. Vejo a fera que se mete em meu caminho; ela vê que bloqueio sua passagem. Tudo está nessa troca de olhares, que prefigura o que vai acontecer. Visto assim, é quase óbvio. Sorrio para mim mesma. Posso muito bem nos conceder isso, penso comigo. A fera morde o maxilar para restituir a palavra. Com esse último pensamento eu pego no sono.

Cavalos galopam na neve. São numerosos, talvez uma centena. Estou sozinha no meio da tundra. Eles irrompem na minha direção, uma nuvem de neve se levanta, estou ofuscada. Fecho os olhos, me preparo para o impacto. Isso não acontece, sinto a respiração deles passar à direita, à esquerda, repetidas vezes, depois mais nada. Eu me viro. A nuvem branca se distancia e desaparece.

Abro os olhos. A respiração dos meninos é constante, ainda é noite. Dária está deitada ao meu lado, ela me observa, de olhos abertos. Você sonhou, ela sussurra. Sim. O que você viu desta vez? Cavalos, centenas de cavalos na neve. Bom, ela diz. Os cavalos são sempre um bom sinal. Eles não estão longe, falam com você. Eles não disseram nada, respondo. Não é com palavras que eles falam, porque você não os teria entendido. Se você os viu, estão falando com você.

Penso em Clarence, o velho sábio gwich'in de Fort Yukon, no Alasca, meu amigo e precioso interlocutor durante os anos em que morei em seu vilarejo. Sempre o observei com olhar entretido quando ele me dizia que tudo era constantemente "gravado" e que a floresta era "informada". *Everything is being recorded all the time*, ele repetia. As árvores, os animais, os rios, cada parte do mundo guarda tudo o que se faz e tudo o que se diz, e até mesmo, às vezes, o que se sonha e o que se pensa. Por isso é preciso prestar muita atenção nos pensamentos que formulamos, porque o mundo não se esquece de nada, e cada um de seus elementos componentes vê, ouve, sabe. O que aconteceu, o que sucede, o que se prepara. Existe um sinal de alerta dos seres exteriores aos homens, sempre prontos a extrapolar suas expectativas. Além disso, cada forma-pensamento que depositamos fora de nós mesmos vem se misturar e se acrescentar às antigas histórias que informam o meio ambiente, bem como às disposições daqueles que o povoam.

Segundo Clarence, existe um sem-limites que aflora à superfície do presente, um tempo do sonho que se alimenta de cada fragmento de história que continuamos a nele agregar. Há no mundo uma latência e uma ebulição, semelhantes à lava que espera sob o vulcão até que alguma coisa a force a sair da cratera. É precisamente por isso que Dária e Vássia abaixam a voz e sussurram na alvorada dentro da iurta sonolenta quando contam seus sonhos um ao outro. Você tem medo de acordar os outros?, pergunto certa manhã. Não, não quero que eles nos escutem, lá fora, responde Dária.

Sonhar com a floresta não é confortável. Eu pensava que depois do urso isso se acalmaria, que talvez fosse até parar. Eu esperava. Passar noites escuras e vazias, apenas o sono, não mais acordar em suor antes do alvorecer, ser invadida por imagens incompreensíveis de manhã, ter de questionar o sentido delas ao longo de todo o dia. Isso continua. Que seja.

Não é que eu não entenda o que acontece comigo; o que aconteceu comigo. Faz nove anos que trabalho junto daqueles que "partem para sonhar mais além", como diz Clarence. O que você está fazendo com a barraca nas costas?, eu lhe perguntava há cinco anos quando ele se distanciava sub-repticiamente para fora de Fort Yukon em direção à floresta. Não ouço nada aqui. Também não vejo nada. Muito falatório, muito conforto, muita família, e quase mais nada. *Too much fuss!* Saio para sonhar mais além. Bom, tomo nota. Com o tempo, também comecei a sonhar ali, mas só um pouco. Um lobo atrás do qual eu corro em meio aos abetos negros, um castor que mergulha sob os montículos de gelo do rio Yukon e que me convida a segui-lo. Nada de alarmante então, eu pensava que se tratasse de simples sinais manifestos dessa necessária empatia que forma o adubo do meu ofício de antropóloga.

Foi somente quando cheguei sob o vulcão no território dos evens do Itcha que tudo mudou, ou melhor, que tudo se intensificou, se densificou. Eu me pus a sonhar continuamente. Dária não se alarmou: como Clarence em território gwich'in, ela achou isso muito normal, que seja eu a sonhar na casa dela. É que para sonhar é preciso estar deslocado, ela me disse um dia. Por isso nunca fico muito tempo na minha casa, continuou. Você está tão longe da sua casa... Não surpreende que você veja tantas coisas, ela concluíra. Muito bem, pensei no início, isso dará um belo tema de escrita sobre o animismo aplicado aos sonhos, a permeabilidade dos espíritos, o entrelaçamento das ontologias, o diálogo dos mundos, a transversalidade dos sonhos e sei lá mais o quê.

Que presunção! Acreditar que minha desacomodação interior não iria *realmente* me expulsar para fora de mim mesma. Des-acomodada, comecei a sonhar. Fora dos muros, fora da família, fora do cotidiano. Como Dária e Clarence preconizavam, para estabelecer um vínculo com o exterior; um vínculo eficaz, quero dizer. Mas para se orientar na direção de quem, de quê?

Estou deitada sobre a barriga de um urso, ele me envolve com uma pata protetora. Ele é grande e cinza. Conversamos sobre assuntos diversos, falamos a mesma língua. O corpo do urso e o meu estão indistintamente misturados, minha pele se funde em sua espessa pelagem. Papeamos com tranquilidade, mas de repente sinto uma angústia surda quando um segundo, depois um terceiro urso aportam no nosso quarto (estamos estendidos numa cama de uma casa que não conheço). Um é preto, o outro, marrom. Eles são mais novos, menores também, roçam em mim e subitamente me sinto ameaçada, observo suas garras, seus dentes e sua ambivalência, que logo começa a ressoar com a minha, já não estou mais tão segura do desfecho desse encontro, estou apavorada.

Eu *vi* esse sonho antes do urso, em Tvaián. Dária diz que as imagens noturnas não são sempre puras projeções. Sonhos-lembranças ou sonhos-desejos. Existem outros sonhos, como esse e como o dos cavalos daquela noite, que não controlamos, mas que esperamos, porque eles estabelecem uma conexão com os seres do lado de fora e abrem a possibilidade de um diálogo. Por que isso é importante? Porque eles permitem que os humanos se orientem durante o dia; porque eles dão uma indicação sobre a tonalidade das relações por vir. Sonhar com significa ser informado. Por isso é que se aguardam aqueles que voltam de uma longa viagem, de uma longa caçada, de um longo alhures; por isso é que Dária me espia em plena noite e estuda os sinais que não enganam a respeito do meu corpo adormecido: tremores, movimentos bruscos, gemidos, suor.

*

Essa manhã, ao deixar a noite e os sonhos, Dária me arrasta para fora. Venha comigo colocar uma armadilha na floresta, longe dos meninos, ela me diz. OK. Dária é uma guerreira, de verdade. Em Tvaián, a velha ideia segundo a qual os homens caçam e as mulheres cozinham é um engano absoluto, uma bela ficção de ocidentais que assim podem ficar orgulhosos da evolução de sua sociedade e da superação dos supostos papéis de gênero. Aqui, todo mundo sabe fazer de tudo. Caçar, pescar, cozinhar, lavar, colocar armadilhas, buscar água, colher bagas, cortar lenha, fazer fogo. Para viver o cotidiano na floresta, o imperativo *é* a fluidez dos papéis; o movimento incessante de uns e outros, seu nomadismo diário implica que é preciso poder fazer de tudo a qualquer momento, pois a sobrevivência concreta depende das capacidades compartilhadas quando um membro da família se ausenta.

Nós nos afundamos na neve espessa, nem pensamos em pegar os esquis, de tão apressadas que estávamos para nos eclipsar. Cruzamos um braço de rio. O espaço é estreito entre as jovens bétulas espremidas à margem, nos esgueiramos entre elas para chegar à proteção das grandes árvores. Avançamos com dificuldade, e em seguida Dária enfim se detém, levanta a cabeça na direção do topo da grande árvore que nos impede a passagem, sorri. Ela me mostra um buraco no tronco. Aqui, ela diz. Nós retiramos a neve das beiradas, eu pego na minha mochila a armadilha feita de sucata enferrujada, passo para ela. Ela a instala, coloca o rabo de salmão como isca, arma o mecanismo. *Vot*, pronto. Sentamos? Sentamos. Ela se coloca na minha frente, pousa seus olhos nos meus. Nástia, ela começa. Já tinha lhe dito que, antes do urso, você sonhava muito. E veja só, isso continua. Que malandra, penso. Sou como um rato, presa na armadilha no lugar da zibelina. Ela continua: nem todo mundo consegue. Você já era *mátukha* antes do urso; agora você é *miêdka*, meio a meio. Sabe o que isso significa? Significa que os seus sonhos são os dele ao mesmo tempo que são os seus. Você não deve ir embora de novo. Deve ficar aqui, porque nós precisamos de você.

    Voltamos pelo mesmo caminho na neve. A zibelina talvez vá saltar sobre essa árvore, depois sobre aquela. Daí ela certamente vai dar uma volta pelo terreno, ali, e vai ver o peixe, comenta Dária. *Vídno búdiet.* Vamos ver. Será preciso verificar daqui a dois dias. Se alguém caiu na armadilha. Rio baixinho atrás dela, sacudindo a cabeça, seguindo seus passos. Já tem alguém que caiu na armadilha, e você sabe muito bem, penso comigo. Deveria ter esperado por isso, isso tinha que acontecer. A questão era quando. Aqui estamos, penso comigo. Eu me pergunto o que fazer com isso, estou irritada, mais uma vez. O que eu sei é que são esses mesmos sonhos que me fizeram fugir daqui seis meses atrás, esses mesmos sonhos que me levaram para a boca do urso. Não tenho nenhuma vontade de recomeçar. Sonhar *com* me dá muito medo.

*

"Livrar um pouco o passado de sua repetição, eis a estranha tarefa. Livrar-nos a nós mesmos — não da existência do passado — mas do seu vínculo, eis a estranha e pobre tarefa. Desatar um pouco o vínculo do que é passado, do que passou, do que se passa, essa é a simples tarefa." Comecei a ler Pascal Quignard há dez anos, quando estava em campo no Alasca. Digamos que esse fragmento ainda não tinha assumido todo o seu sentido.

Que meu mundo tenha sido amplamente alterado antes desse encontro é inegável. "Uma alteração da relação com o mundo", é assim que se designa a loucura de maneira refinada. Do que se trata? De um período, de um instante curto ou longo durante o qual os limites entre nós e o exterior se apagam pouco a pouco, como se nos desintegrássemos suavemente para descer às profundezas do tempo onírico onde nada está estabilizado ainda, onde as fronteiras entre os viventes são ainda flutuantes, onde tudo ainda é possível.

A primeira coisa a desatar, antes do *porquê* da minha fuga para fora da floresta naquele verão, é o *como* da minha fuga para fora do meu próprio mundo na direção da floresta, alguns anos atrás. Um pensamento bastante trivial não me sai da cabeça há muito tempo: ninguém escutou Antonin Artaud, que, no entanto, tinha razão. É preciso sair da alienação que nossa civilização produz. Mas a droga, o álcool, a melancolia e *in fine* a loucura e/ou a morte não são uma solução, é preciso encontrar outra coisa. Foi o que procurei nas florestas do Norte, o que encontrei apenas parcialmente, o que continuo a perseguir.

Sou doutora em antropologia, consagrada nos bancos da academia. Tenho um companheiro que vive na crista das montanhas. Um lar pendurado na montanha. Um livro em preparação. Tudo aparentemente vai bem. Mas alguma coisa atormenta, belisca as entranhas, a cabeça também arde, tenho uma sensação de fim de mim mesma, talvez também de fim de ciclo. O sentido se atrofia, tenho a impressão de viver por dentro o que descrevi sobre os gwich'in no Alasca: não me reconheço mais. É uma sensação horrível, porque acontece comigo precisamente o que acreditei observar naqueles que eu estudava. Minhas formas usuais desmoronam. Minha escrita patina, não tenho mais nada de interessante a dizer, mais nada que valha a pena. Meu amor termina de se dissolver, apesar das palavras apesar da verticalidade apesar dos cumes de sua exigência e de sua indiferença. Eu me esgoto em inúteis circunvoluções mentais, compenso com proezas físicas, mas não há nada a fazer, afundo.

Quantos psicólogos me tomariam por louca se eu lhes dissesse que sou afetada pelo que acontece fora de mim? Que a aceleração do desastre me petrifica? Que tenho a impressão de não ter mais controle sobre nada? Ah, então esse é o motivo que leva você a se agarrar às montanhas! Sim, e a coisa fica grave é quando até mesmo a montanha está desabando. Por falta de coesão, por causa do gelo que derrete, por culpa da canícula. Os pontos de apoio cedem, os rochedos despencam, eis a realidade. E os amigos se estatelam aos pés dos paredões. Estou fazendo uma péssima metáfora de alpinista? Acho que não. Não posso circunscrevê-la com precisão, mas tenho uma certeza: algo ressoa em mim, algo que dói e que desorienta.

Teria sido tão simples se minha perturbação interior se resumisse a uma problemática familiar não resolvida, ao meu pai morto cedo demais, às expectativas não satisfeitas da minha mãe. Então eu poderia "resolver" minha depressão. Mas não. Meu problema é que meu problema não pertence apenas a mim. Que a melancolia que se exprime no meu corpo vem do mundo. Acredito que sim, é possível se tornar "o vento que sopra através de nós", como dizia Lowry. E que é comum não voltar atrás, como ele, como tantos outros. Fui ter com os evens do Itcha e vivi na floresta com eles por uma razão bem distante de uma pesquisa comparativa. Entendi uma coisa: o mundo desmorona simultaneamente em todos os lugares, apesar das aparências. O que acontece em Tvaián é que se vive conscientemente em suas ruínas.

Todas as manhãs, mergulho o balde no buraco no gelo do Tvaiánskaia. Eu me detenho por alguns minutos. Adoro observar a água que corre debaixo da camada congelada. Esse buraco, cinquenta centímetros de diâmetro, é como uma janela, uma claraboia. Um ponto de observação sobre o mundo de baixo, onde tudo ainda está em movimento, ao passo que tudo na superfície está imóvel, desesperadamente estático. Não se fiar naquilo que se dá a ver de imediato, penso a cada vez. Olhar mais além ou mais fundo, na direção daquilo que está oculto.

Admito que existe mesmo um sentido no mundo em que vivemos. Um ritmo. Uma orientação. De leste a oeste. Do inverno à primavera. Do amanhecer ao anoitecer. Da nascente ao mar. Do útero à luz. Mas às vezes penso em Copérnico. No crime de lesa-majestade que ele cometeu na época ao afirmar que não giramos no sentido em que acreditamos girar; que o sentido de rotação do mundo não é o sentido sensível; que ele é oposto àquele que percebemos. Teria a intuição de Copérnico alguma coisa a ver com a questão do retorno, da volta ilógica dos seres à sua origem? O rio desce para o mar, mas os salmões tornam a subi-lo para morrer. A vida se desenvolve do lado de fora do ventre, mas os ursos vão novamente para debaixo da terra, para sonhar. Os gansos selvagens vivem no Sul, mas retornam para colonizar os céus árticos de seu nascimento. Os humanos saíram das grutas e dos bosques para construir cidades, mas alguns voltam atrás e habitam novamente a floresta.

Digo que há algo invisível que impele nossa vida rumo ao inesperado.

Vássia serve o chá em sua cumbuca, sente o aroma, contente consigo mesmo. Ele acaba de trazer três peixes; fazia uma semana que Dária o espezinhava com seus sonhos premonitórios e suas boas pescarias, enquanto ele voltava todo dia de mãos abanando. Às vezes não adianta insistir, ele dizia ao voltar do rio. Natacha prepara os peixes empanados, o óleo crepita na frigideira. A cabana está quase vazia nesse meio de tarde. Ivan partiu para a caça aos tetrazes, Volódia foi buscar lenha. Dária está lá fora, cuidando dos cães. Vássia e eu estamos com os cotovelos apoiados na mesa de centro. Ainda não tive a oportunidade de conversar com ele desde sua chegada, sei que faz uma semana que ele espera por esse momento, vejo isso em seus olhos. *Tchto, skají*. Que foi, diga. É o que disparo enquanto ele fica fazendo rodeios, me perguntando se ali ainda dói ou não, mostrando as cicatrizes que cobrem seus braços, vestígios de um tempo em que ele trabalhava duro no *sovkhoz*, vestígios de um tempo em que ainda havia tratores perigosos em atividade por aqui.

Os ursos são os mais inteligentes entre todos os animais, ele me diz. São como os humanos, tão poderosos quanto. Você sabia? Eu sabia. E você sabe por que ele mordeu você no rosto, ele pergunta. Não, não sei. Ele aponta o dedo para os meus olhos. Por causa deles, ele me diz. Ele ri. Vássia ri o tempo todo, do alto de seus setenta anos, mesmo quando está muito sério. Ele volta ao assunto franzindo as sobrancelhas. Os ursos não suportam olhar nos olhos dos humanos, porque veem neles o reflexo de sua própria alma. Você entende? Não, não muito, respondo. No entanto, é simples, Nástia. Um urso que cruza o olhar de um homem buscará para sempre apagar aquilo que vê ali. É por isso que, se vê seus olhos, ele inevitavelmente ataca. Você olhou nos olhos dele, não foi? Sim. Ah, exclama ele, eu sabia! Eu disse para eles, para os outros, mas Dária manda eu me calar o tempo todo, não quer que se fale do que aconteceu. Sorrio para ele. É porque Dária é mãe, e as mães não gostam de ver sofrer quem elas amam. Humm, resmunga ele. Tomamos um gole de chá em silêncio. O que diferencia os ursos de nós é que eles não podem se olhar de frente. Você entende agora? Sim, entendo. Felizmente eles não têm espelho, senão ficariam todos loucos! Vássia explode num riso cristalino, e eu junto com ele.

Nos dias seguintes, rumino o que Vássia disse e penso inevitavelmente em Jean-Pierre Vernant. Numa passagem de seu livro *A morte nos olhos*: "No face a face da frontalidade, o homem firma-se em posição de simetria em relação ao deus [...] a fascinação significa que o homem já não pode desviar seu olhar ou seu rosto do Poder, que seu olho perde-se no Poder que também o olha, que ele é projetado no mundo que este Poder preside".[11] Para Vernant, ver a medusa é deixar de ser você mesmo, ser projetado no além, tornar-se o outro. Para Vássia, ver o humano que vê o urso ou o urso que vê o humano é figurar a reversibilidade; descrever um confronto em que a alteridade *a priori* radical é, na verdade, a proximidade maior; um espaço em que o um é o reflexo do seu duplo no outro mundo.

---

11 Jean-Pierre Vernant, "A morte nos olhos", in *A morte nos olhos. Figurações do outro na Grécia Antiga: Ártemis, Gorgó*, tradução de Clóvis Marques (Rio de Janeiro, Jorge Zahar Editor, 1988), p. 103. [N.T.]

Já tinha pensado em Vernant ao trabalhar sobre a questão da caça no Alasca. Naquele instante em que o *fascinus* se apodera dos corpos para projetá-los na loucura ou na morte. Mas me enganei. Escrevi em *Les âmes sauvages*[12] que a morte era a forma mais eficaz para sair do *limes* insuportável que implica o encontro entre dois seres *alter*. Do ciclo de metamorfoses que então se desencadeia e do qual não se volta. Exceto que não estou morta, e o urso também não.

Escrevo há anos sobre os confins, a margem, a liminaridade, a zona fronteiriça, o espaço entre dois mundos; acerca desse lugar tão especial onde é possível encontrar uma potência outra, onde se assume o risco de se alterar, de onde é difícil voltar. Sempre disse a mim mesma que não se deve cair na armadilha da fascinação. O caçador, coberto dos cheiros de sua presa e usando suas vestes, modula a voz para adotar a do outro e, ao fazer isso, entra em seu mundo, mascarado, mas ainda ele mesmo sob a máscara. Eis o truque, eis seu perigo. Toda a questão passa a ser então: conseguir matar para poder *voltar* — a si, aos seus. Ou então: falhar, deixar-se engolir pelo outro e deixar de estar vivo no mundo dos humanos. Escrevi essas coisas no Alasca; vim a vivê-las em Kamtchátka. Ironia do trabalho comparativo, piada dos dois blocos que se observam de um lado e do outro do estreito de Bering; estranheza do confronto entre meu espírito na América que observa meu corpo na Rússia.

Fui até o fim do encontro arcaico, mas voltei porque não morri. Houve hibridação e, no entanto, continuo sendo eu mesma. Quer dizer, eu acho. Alguma coisa que se parece comigo, mais os traços da máscara animista: estou *inside out*. O fundo animista dos humanos *é* o rosto deformado da máscara. Metade homem metade foca; metade homem metade águia; metade homem metade lobo. Metade mulher

---

[12] Nastassja Martin, *Les âmes sauvages* (Paris: La Découverte, 2016).

metade urso. O que está por baixo do rosto, o fundo humano dos bichos é o que o urso vê nos olhos daquele que ele não devia olhar; é o que meu urso viu nos meus olhos. Sua parcela de humanidade; o rosto por baixo do seu rosto.

*

Faz alguns dias que os criadores e suas renas nomadizaram para uma tundra vizinha a Tvaián. Eles passam as noites conosco quando podem, quando não neva demais para conseguirem chegar até aqui, quando o cheiro do mato em sua pele os faz sonharem com um banho. Dois dentre eles, Pávlik e Chander, são sobrinhos de Dária. Gosto deles. O terceiro é seu primo, Válierka. Com ele, é diferente. Não gosto dos seus silêncios nem da sua maneira de me analisar quando estou de costas, de evitar meu olhar assim que o encaro. Ele é fugidio, escorregadio. É assim desde o começo: minha presença o incomoda profundamente. Há vários anos, quando me apresentei a ele numa noite de verão, ele disparou contra mim: antropóloga, espiã, dá na mesma. Não espere nada de mim, não vou falar. Prova de que ainda existe uma guerra entre o Leste e o Oeste, pensei. Ou as reminiscências de uma guerra. Desde então, eu o evito o máximo possível. Mas no inverno, com a aglomeração a que o frio obriga, fica difícil. Um dia ele vai tentar me machucar, tenho certeza, e não deu outra. Era para acontecer nessa noite.

Estamos sentados nos banquinhos da cozinha. Ele, eu, Pávlik. Um pouco de peixe defumado no meio da mesa, chá. Pávlik espera para ir à sauna que está esquentando desde cedo. Chander volta com uma toalha sobre os ombros, o vapor se eleva de seus cabelos quando ele abre a porta. Pávlik se levanta, procura sua toalha por toda parte na cabana. Eu o sigo, passo pela porta para ir ao outro cômodo, vasculho minha mochila. Tome, pegue esta aqui se quiser, está limpa. Ele sorri, obrigado, e pega a toalha. Ele volta à cozinha, se inclina sobre a mesa para alcançar seu casaco. Largue isso, Válierka lhe diz. Pávlik olha para ele, desconcertado. Largue essa toalha, ordena o tio novamente. Por quê?, pergunta Pávlik. Porque é a toalha da Nástia. Ela é *miêdka*. Você sabe o que isso quer dizer? Quer dizer que a gente não encosta nas coisas dela. Ele baixa os olhos na direção do peixe, pega um pedaço, leva a xícara de chá aos lábios e age como se nada fosse. Pávlik, Chander e eu ficamos ali de pé, paralisados, estupefatos.

 Dária entra com o balde d'água na mão, ouviu tudo lá de fora. Ela fuzila Válierka com o olhar. Saia daqui, ela lhe diz. Não tem nada disso na minha casa, vá comer sozinho na iurta. Válierka ergue os olhos na direção dela, sobe o tom de voz. Você sabe muito bem que é verdade. Vocês também deviam tomar cuidado. Ela só vai trazer coisas ruins para cá. Os *miêdka*, quando regressam do lado de lá, têm que ser evitados. Dária abre a porta, aponta a saída. Vá embora. A Nástia é minha família. Vá se roer sozinho esta noite. O rosto de Válierka enrubesce, ele queria dizer alguma coisa, mas é visível que não pode; Dária está em sua própria casa, Dária comanda, Dária é chefe. Ele afasta o banquinho, se apoiando na mesa, pega o casaco pendurado e bate a porta. Ronco nervoso de moto de neve. Nuvem de neve poeirenta que vem se abater sobre a janela da cabana.

 Tenho vontade de desaparecer a sete palmos de terra. Dária me pega pelo braço, venha. Passamos para o outro cômodo e nos sentamos sobre a pele de rena, protegidas dos olhares. Ela não pode mais recuar, deve falar. Isso não lhe agrada, mas ela não tem mais escolha, porque dessa vez estou esperando que ela assuma, que ela diga algo sobre esse nome que se cola à minha pele e que vem do mundo deles, não do meu.

 Nástia. Você está me ouvindo? Estou ouvindo. Não o leve a mal. E sobretudo não leve para o lado pessoal. O Válierka é como muitos outros, tem medo. Por quê?, pergunto. Porque as pessoas marcadas pelo urso, como você, são as únicas que entraram em contato direto com ele. E? E é uma proximidade de antes que faz com que *isso* tenha acontecido, que *isso* tenha sido possível. Estou sabendo, digo. E então? O que isso muda na vida dele? É o que estou lhe explicando, ele tem medo. Para nós, os *miêdka* devem ser evitados e, acima de tudo, não se deve encostar nas coisas deles. Por quê? Sua tergiversação me irrita profundamente, fale por favor, não me esconda nada. Porque eles não são mais eles mesmos de fato, entende? Porque carregam parte do urso neles. Dária suspira. Para alguns, isso vai mais além. Dizem que eles ficam "perseguidos" pelo urso para o resto da vida. Perseguidos no sonho ou perseguidos de verdade?, pergunto. Os dois, diz Dária abaixando os olhos. É um pouco como se essas pessoas estivessem enfeitiçadas, você entende? Entendo. Uma lágrima escorre pela minha face. Dária puxa um pedaço do lençol e a enxuga. Então você também acredita que estou enfeitiçada? Se sou de fato *miêdka* e ser *miêdka* é ser tudo isso, então por que você não me evita também? Não acredito em nada disso, responde Dária. Tudo isso não passa de história. Aqui a gente vive com todas as almas, aquelas que erram, aquelas que viajam, os vivos e os mortos, os *miêdka* e os outros. Todo mundo.

Isso sempre acaba assim, em frustração. Dá quase para dizer que *não concluir seu pensamento* é de lei. Suspender o pensamento para interromper as palavras; fazer silêncio para sobreviver.

Dária, por que você não me conta mais? Mais além, mais alto, mais precisamente? Porque, quando eu falo, a coisa acontece.

Hoje de manhã voltei para me sentar na margem sobre o rio que corre debaixo do gelo. Tenho vontade de voltar para casa, do outro lado do mundo. Rever minha mãe. Ivan chega, é a especialidade dele, criar obstáculos para a melancolia, ele sempre diz: aqui a gente vive, não tem tempo de se apiedar. Você ainda está pensando no que o Válierka disse ontem? Sim, um pouco. Deixe para lá. O que conta é que você saiba. As pessoas só fazem isso mesmo, pensar no que os outros pensam. Isso não serve para nada. Ele ri. Válierka também não gosta de mim. Ele não gosta de ninguém. Você sabe? Sim, eu sei. Mas isso não muda nada, digo. Em breve vou partir.

    Ivan suspira. Mais nenhum traço do menor sorriso em seu rosto. Você vai partir como já partiu da última vez? Você devia escutar a mamãe. Seria melhor se você ficasse com a gente. Aqui você está em segurança. Hum, respondo. E lá fora tem os ursos, é isso? Pare, ele me corta. Você se lembra lá no hospital em Petropávlovsk? Quando eu perguntei por que você tinha partido naquele verão. Você não me respondeu nada. Você disse: você não consegue entender. Ou algo parecido. Quer saber o que eu acho? Por favor, eu suspiro. Acho que você mesma não sabe o que a leva sempre a partir para lugares cada vez mais distantes. Talvez seja isso, concordo. Ou então talvez seja algo da ordem do indizível. Ou do intraduzível. Como uma outra língua, entende, um negócio que se vive, mas que escapa a qualquer explicação. Um negócio que ultrapassa, um negócio que ultrapassa você. Ivan balança a cabeça, ele balança a cabeça como se estivesse se livrando da tristeza que detesta sentir despontando em seu próprio corpo. Ele ri de novo. Você é engraçada. Você também. Um negócio como os sonhos? Sim. Um negócio como os sonhos.

    Há um rio com uma falésia. Uma cachoeira, bem alta. Eu me inclino para olhar. Na água mais abaixo avistam-se rochas ameaçadoras, parecem uma mandíbula aberta cheia de dentes pontudos à espera da presa. Tremo. Eu me deito na borda para ver melhor e parar de tremer, mas tenho muito medo, peno para me levantar. Ivan e Volódia se aproximam. Siga-nos, dizem eles. Eles pegam impulso e mergulham. Fecho os olhos, eu os imito, afundamos sob a correnteza, afastados das rochas. Volto a abrir os olhos debaixo d'água. Tudo é extremamente claro, vejo os salmões como se eles nadassem no ar; depois vejo o caçador que nada diante de mim. Exceto que não é mais um homem. É um pássaro multicolorido que rodopia em volta de si mesmo, mas que nada com a graça dos peixes que o cercam. Olho minhas mãos, que se agitam diante de mim. De repente, não há mais braços, e sim plumas amarelas e vermelhas que golpeiam a água.

Penso no meu primeiro sonho aqui e não respondo mais nada a Ivan porque não tenho nada mais a dizer. Não é um truque, e de todo modo não ganharei esse jogo contra ele, um caçador muito melhor do que eu. Tento. Tento ordenar as coisas pelo menos na minha cabeça. Essa coisa qualquer que emerge, essa espécie de resposta em forma de pergunta aberta, esse algo anterior ao aborrecimento e aos sonhos recorrentes que me fizeram fugir dessa floresta e, junto com ela, de seus habitantes e do lugar que eles quiseram me dar. Esse lugar que continuo não querendo, um lugar em meio aos xamãs que partiram cedo demais e aos *miêdka* que chegaram tarde demais.

Chega, agora já é demais, disse a mim mesma. Vou embora, tenho que fugir desse sistema de significações e de ressonâncias que ameaça minha saúde mental. Mais tarde, vou polir todos esses fragmentos de experiências ingovernáveis, vou transformá-los em dados por fim suficientemente essencializados e desencarnados para poderem ser manipulados e relacionados entre si. Mais tarde, exercerei meu ofício de antropóloga. Por enquanto, tenho que cortar, radicalmente:

vou embora para as montanhas, quero ar, ausência de obstáculos para o olhar, frio, gelo, silêncio, vazio e contingência, sobretudo sem mais destino, e muito menos signos.

E contudo. Foi no coração dos glaciares e no meio dos vulcões, longe dos homens, das árvores, dos salmões e dos rios que eu o encontrei, ou que ele me encontrou. Caminho por esse planalto de altitude árido no qual, *a priori*, não tenho nada a fazer, saio do glaciar, desço do vulcão, atrás de mim a fumaça cria um halo de nuvens. Eu me imagino sozinha por todos os motivos pessoais históricos sociais conhecidos e, contudo, não estou só. Um urso tão desorientado quanto eu passeia igualmente por essas alturas onde ele também não tem nada a fazer, é quase como um alpinista, é verdade, o que ele faz aqui, nessa terra desguarnecida, sem bagas nem peixes, quando poderia estar tranquilamente pescando na floresta? Nos deparamos um com o outro, se o *kairós* deve ter alguma essência, é essa. Uma aspereza do terreno nos esconde um do outro, a bruma sobe, o vento não sopra na direção certa. Quando o avisto, ele já está diante de mim, está tão surpreso quanto eu. Estamos a dois metros um do outro, não há escapatória possível, nem para ele, nem para mim. Dária tinha me dito: se você encontrar um urso, diga a ele "não vou tocar em você, você também não toque em mim". Sim, certamente, mas não aqui. Ele me mostra os dentes, deve ter medo, também tenho medo, mas, sem poder fugir, eu o imito, mostro a ele meus dentes. Tudo se passa muito rápido em seguida. Colidimos ele me derruba minhas mãos estão nos pelos dele ele morde meu rosto depois a cabeça sinto meus ossos estalando penso comigo mesma estou morrendo mas eu não morro, estou plenamente consciente. Ele me solta e pega minha perna. Aproveito para sacar minha piqueta, que ficou na minha correia desde a descida do glaciar logo ali atrás, bato nele com isso, não sei onde acerto pois estou com os olhos fechados, sou apenas sensação. Ele cede. Abro os olhos, vejo-o fugindo ao longe correndo mancando, vejo o sangue na minha arma improvisada. E fico ali, alucinada e ensanguentada, me perguntando se vou viver, mas eu vivo, estou mais lúcida que nunca, meu cérebro roda a mil por hora. Penso: se eu sair dessa, será uma outra vida.

    Nesse dia 25 de agosto de 2015, o acontecimento não é: um urso ataca uma antropóloga francesa em algum lugar nas montanhas de Kamtchátka. O acontecimento é: um urso e uma mulher se encontram e as fronteiras entre os mundos implodem. Não apenas os limites físicos entre um humano e um bicho que, ao se confrontarem, abrem fendas no corpo e na cabeça. É também o tempo do mito que encontra a realidade; o outrora que encontra o atual; o sonho que encontra o encarnado. A cena acontece nos dias de hoje, mas poderia muito bem ter ocorrido há mil anos. Somos apenas eu e esse urso no mundo contemporâneo, indiferente às nossas ínfimas trajetórias pessoais; mas é também o confronto arquetípico, é o homem cambaleante com o sexo ereto diante do bisão ferido no poço de Lascaux. Como na cena do poço, é a incerteza quanto ao desfecho do combate que preside o acontecimento inacreditável que, contudo, se dá. Mas ao contrário da cena do poço, a continuação não é um mistério, pois nenhum de nós morre, pois retornamos do impossível que ocorreu.

    Não é um pensamento que eu gostaria de verbalizar; prefiro escrevê-lo: hoje, sentada na beira do rio, na neve molhada, escrevo que existe uma lei implícita, silenciosa. Uma lei própria aos predadores que se procuram e se evitam nas profundezas das matas ou nas dorsais da terra. A lei é a seguinte: quando e se eles se encontram, seus territórios implodem, seus mundos se reviram, seus encaminhamentos usuais se alteram e seus vínculos se tornam indefectíveis. Existe uma suspensão do movimento uma retenção uma parada um estupor que se apossa das duas feras pegas no encontro arcaico — aquele que não se planeja, aquele que não se evita, aquele do qual não se foge.

Ao sair da *no man's land* tão esperada da montanha desse glaciar do planalto de altitude, finalmente menos despovoada do que eu a imaginava, só me restam poucas certezas. A estabilidade dos seres e das coisas me escapa, sua organização em sistemas inteligíveis e instituídos me foge, a possibilidade de sua perenidade no tempo me deserta. Meus "dados", aqueles que eu tinha cuidadosamente coletado, aqueles cujas pontas eu tinha começado a juntar para criar um mundo — um mundo que eu gostaria de compartilhar com meus contemporâneos — jazem agora aos meus pés como tantos vínculos rompidos que, mais tarde, será preciso ordenar de outra maneira. Por quê? *Potomú tchto nado jit dálche*. Porque é preciso poder viver mais além, como dizem todos aqueles que vivem aqui na floresta sobre o rio sob o vulcão. É preciso poder viver depois com e diante disso; simplesmente viver mais além.

*

O que significa sair dos abismos onde reina o indistinto, escolher reconstruir outros limites com a ajuda dos novos materiais encontrados bem no fundo da noite indiferenciada do sonho? Bem no fundo da boca escancarada de um outro que não é você?

Penso no ratinho-almiscarado e no homem do mito gwich'in no Alasca acerca da criação do mundo. Penso no oceano sem limites no qual eles flutuam, incerto, aberto, incontido, líquido. Penso nesse ratinho-almiscarado que mergulha bem no fundo da água, lá onde é escuro lá onde ele é cego lá onde ele tem medo, para ir recolher em suas garras os fragmentos de turfa que, com o homem, eles utilizarão juntos para criar uma terra firme sobre a qual caminharão e delimitarão seus respectivos espaços. Penso também naquele homem cego e enfermiço que recebe ajuda da mobelha-grande que trepa em suas costas e mergulha três vezes com ele nas profundezas sombrias do lago, para de lá voltar transformado e dotado de uma nova visão. Penso em todas essas histórias e em todos esses mitos que eu e tantos outros antropólogos transcrevemos cuidadosamente em nossas monografias sobre os povos que estudamos, em todas essas viagens de um mundo a outro que atiçam nosso interesse científico, em todos esses homens um tanto especiais, esses xamãs que perseguimos como os caçadores rastreiam os animais que os fascinam. Penso em todos esses seres que se embrenharam nas zonas sombrias e desconhecidas da alteridade e que delas voltaram, metamorfoseados, capazes de encarar "aquilo que vem" de maneira não convencional, eles agem agora a partir daquilo que lhes foi confiado debaixo do mar, debaixo da terra, no céu, debaixo do lago, no ventre, debaixo dos dentes.

∗

Os dias se prolongam no frio, as noites não terminam mais. O ar é gelado, paralisado. É tempo de partir, mas a iminência dessa partida é calada. É assim na floresta: nunca partimos aos poucos, não nos preparamos, fazemos como se nada nunca fosse mudar até que tudo se altera de uma só vez. É precisamente isso o estado de alerta. Aproveitar-se da imobilidade do corpo até que seja preciso lançar-se, sempre quando menos se espera. Não se deve jamais falar do momento em que vamos nos separar; do momento em que nada mais será como antes. Assim, vivemos conscientemente na ilusão da eternidade, porque sabemos muito bem que, num instante, tudo aquilo que desde sempre conhecemos vai se desmanchar, se recompor, aqui ou ali, vai se metamorfosear e se tornar esse algo de inapreensível do qual não poderemos assumir mais nada. Essa potencialidade aterroriza todo mundo. Como ela é conhecida de todos na floresta e como todos sempre a esperam na curva do caminho, concordamos silenciosamente em não falar dela.

Escrevo na varanda, diante da porta aberta sobre o montículo de neve e a árvore lá atrás, uma xícara de chá escaldante colocada em cima do banco. A temperatura sobe, a chegada da primavera se faz sentir. Volódia passa com um livro na mão. Ele se detém, senta-se ao meu lado, olha por cima do meu ombro. Você está escrevendo sobre o urso, sobre você ou sobre nós? Os três, meu capitão. Volódia ri, olha as páginas todas escritas que se acumulam. Você devia chamá-lo de *Guerra e paz*! Rio com ele. E você está lendo o quê?, pergunto indicando seu livro. Ele fecha os olhos, coloca as mãos sobre os joelhos e depois inspira profundamente. Cada homem em sua noite parte em direção à sua luz. Ele volta a abrir os olhos. É bonito, não? É bonito. Victor Hugo, minha cara.

Essa manhã o rio ficou livre do gelo. Assim, de repente. Tudo se pôs em movimento sem avisar. Nós deveríamos partir, nos apressar antes que o Buran se torne obsoleto sobre a neve molhada. Mas não. Acabamos optando por ir pescar. Poderiam pensar que eu adoro isso, a pesca, depois de mais de dez anos de trabalho com caçadores-pescadores. É precisamente o contrário. Sobretudo no inverno. Esperar por horas no frio. Se convencer de que algum vai morder, mesmo quando nada acontece. Obstinar-se, mesmo quando continua a não acontecer nada. Por que ninguém nunca fala disso?, eu me pergunto enraivecida olhando para a minha linha que boia molenga entre as placas de gelo. Dessa espera transida, do quase nada que geralmente coroa nosso fracasso? Voltar congelado para casa, se enfiar até a cintura na neve de primavera, tomar chá, tomar chá. Rio sozinha, me divirto com esse absurdo que, no entanto, é o coração pulsante da vida na floresta.

Aqui é sempre assim, nada nunca acontece como se deseja, a coisa resiste. Penso em todas as vezes em que o tiro não dispara, em que o peixe não morde, em que as renas não avançam, em que a moto de neve engasga. É igual para todo mundo. Você tenta ter estilo, mas tropeça, se atola, claudica, cai, se levanta. Ivan diz que só mesmo os humanos acreditam que fazem tudo certo. Só os humanos dão tamanha importância ao que os outros pensam deles. Viver na floresta é um pouco isso: ser um vivente em meio a tantos outros, oscilar com eles.

Dias de primavera. Dias de abate de renas. Dias de carnificina. Os criadores de animais aproveitam a iminente viagem em comum até o vilarejo para ir vender a carne. Ivan partiu ontem para a iurta para ajudá-los. Vim encontrá-lo para ver, por consciência profissional talvez, por falta de discernimento sobretudo. É um massacre a céu aberto que acabo descobrindo. Não imaginava o efeito que teriam sobre mim não uma, duas, mas cinquenta renas abatidas, arrastadas na neve, decapitadas e esquartejadas sobre uma bancada improvisada. Ivan mata, corta, esvazia, fatia, empilha, desloca. As mãos estão vermelhas, a neve está vermelha, os tufos de pelos cobrem o chão e saem voando ao longe sob o vento gélido. Tenho vontade de vomitar. Ivan provavelmente não sabe por que escolheu esse abate em massa em vez de ficar em casa, nada o obrigava, ele nem criador de animais é. Ajudar, disse ele simplesmente. Mas ajudar em quê? Os outros eram numerosos o suficiente.

Os olhos de Ivan se nublam enquanto o sangue jorra abundantemente, eu o vejo se perder nos próprios motivos que levaram sua família a abandonar a criação estatal de animais e a se tornarem caçadores novamente. Ele está fora de si, ele é pura potência de morte. Ivan volta ao rebanho, apanha um bicho no laço, salta sobre ele, enfia a faca no cerebelo. Vejo-o se esgotar ao conduzi-lo pela neve, vejo o suor em sua testa enquanto ele corta a cabeça, esvazia as entranhas e pendura a carcaça no gancho preso à árvore. Será que ele se pergunta o que está fazendo ali? Acho que nesse instante ele se esqueceu de tudo. Esqueceu quem ele é, esqueceu a escolha de sua família, esqueceu por que eles não fazem mais isso. Mas talvez eu esteja enganada. Talvez ele saiba exatamente o que busca nessa ferocidade que prefigura minha partida. Digo que há mesmo um furor que fervilha em nós. Metade corpo, metade espírito, que se prepara continuamente para romper a frágil unidade de nossa vida.

 E eu? Sabia o que estava procurando com o urso? Sabia quem eu estava esperando e quem eu via em sonho? Sabia por que eu seguia as pistas dos seus rastros por toda parte e por que eu esperava secretamente um dia cruzar o seu olhar? Claro, não desse jeito. Não tão rápido, não tão forte. Partir, eu dizia. Um pouco de ar, de gelo, de rochas, o horizonte. Acrescentou-se o sangue. Ele me pegou desprevenida em minha espera. Seu beijo? Íntimo para além do imaginável. Meu olhar se turva e tudo fica desfocado, as cabeças de rena que cobrem o chão, os corpos decapitados que perdem o sangue, os homens atarefados em volta. Ivan pare com isso não aguento mais. Será possível viver sem esse furor que pulsa no fundo de nós, que ameaça periodicamente aniquilar tudo? Seria preciso ter sempre a certeza de poder voltar. Voltar do outro mundo, como Perséfone. Seis meses no alto, seis meses embaixo, prático. Mas fora do tempo do mito, o ciclo se interrompe, porque é assim, porque é a Época, porque é aquilo que todos nós encaramos. Seria preciso que os dois rostos da máscara animista parassem de matar um ao outro, que eles criassem a vida, que eles criassem outra coisa além de si mesmos. Seria preciso, não, é preciso a todo custo sair dessa dualidade reversível e mortífera.

 Ivan ergue os olhos na minha direção, vê minhas lágrimas, ouve minha súplica silenciosa. Deixe o sangue, largue a morte, venha, vamos embora. Ele tira um trapo do bolso, limpa sua faca. Guarda-a na bainha em sua cintura. Pessoal, tenho que ir embora, até amanhã. Andamos em meio às árvores em direção à iurta, deixamos a tundra ensanguentada para trás. Obrigado, ele diz. De nada, respondo.

Vou andando. Sair daqui, só consigo pensar nisso. Gostaria de saber no que Ivan pensa. Mas não lhe pergunto. É bom o silêncio, às vezes. Nunca sei verdadeiramente aonde vou nem quem sou. No fim das contas, talvez ele também não. Ivan está voltando de todo aquele sangue que foi preciso derramar para fazer parte de uma modernidade longínqua. Eu estou voltando da boca de um urso. O resto? É um mistério.

Dária fica aqui, ela quase nunca deixa a floresta. Tudo está pronto, as mochilas estão sobre os trenós, a carne também, os cães latem, os lobos respondem a eles ao longe. Nós caminhamos na colina que domina o campo, nos agarramos nos galhos e raízes para avançar na encosta. Lá em cima, um cepo de árvore domina Tvaián. Você enrola um cigarro para mim? Sim. Fumamos em silêncio, observamos os outros atarefados lá embaixo, eles não nos veem, mas nós sim, gosto muito disso, diz Dária.

Então você vai embora? Vou embora. Não há nada que se possa fazer para segurar você? Não. Você vai fazer o quê? Escrever. Sobre o quê? Sobre vocês, sobre nós e sobre o que está por vir. O que está por vir? O impensável. Dária sorri. Você e suas palavras. Me conte mais. Eu rio. Está vendo?, eu lhe digo. Como é insuportável quando você me deixa no vazio? Ela dá risada, eu sei eu sei, mas isso é o privilégio da velhice. Calar-se quando não se quer dizer muito, evitar arquitetar planos porque eles nunca acontecem como previsto. Você é outra história. Eu a conheço, você vai fazer de todo jeito, então me conte.

Eu lhe conto: Dária, vou fazer o que sei fazer, vou fazer antropologia. E como se faz isso de antropologia?, pergunta ela me encarando com seus olhos travessos. Eu suspiro, você me aborrece com suas perguntas difíceis. Ergo os olhos para o céu, jogo fora meu cigarro, suspiro de novo. Não sei como se faz isso, Dária. Sei como eu faço. Você está ouvindo? Estou. Eu me aproximo, sou captada, eu me afasto ou fujo. Retorno, capto, traduzo. Aquilo que vem dos outros, que passa pelo meu corpo e que vai embora para não sei onde.

Você está triste?, eu lhe pergunto. Não, diz ela, e você sabe por quê. Viver aqui é esperar pelo retorno. Das flores, dos animais migratórios, dos seres que contam. Você é um deles. Vou esperar por você.

Não digo nada, estou emocionada. Eis minha libertação. A incerteza: uma promessa de vida.

Verão

Diante de mim, a pilha constituída por meus cadernos de campo em Kamtchátka nestes últimos cinco anos. Verde, azul, bege, azul, marrom, preto embaixo de tudo. Volto a cabeça para olhar pela janela, a Meije está iluminada por uma luz suave de fim de dia. Eu me decido, ergo a pilha; abro o caderno preto pelo fim, percorro as últimas páginas.

30 de agosto de 2014

"Como se esconder daquilo que deve se unir a você?
(Desvio da modernidade)"
René Char, 77, Folhas de Hipnos

O que significa estar atrasado na vida?
Saber sentir querer sempre tarde demais
Desejar à montante do mundo
Aqueles que estão ausentes aqueles que resistem aqueles
                                              [que retêm
As florestas as montanhas em suas pupilas
Estar atado à sua liberdade à sua insubordinação
Estar às voltas com o impossível
Com aquilo que não deve suceder

Esses encontros que colocam em perigo
A instituição do coletivo sua estabilidade
Esses vínculos em forma de potenciais
Que contribuem para a explosão a fragmentação

Feras paralisadas estupefatas petrificadas
Feras de trajetórias incalculáveis
Feras que assaltam o vazio
Porque seu futuro se confunde com o crepúsculo
E porque talvez seja tudo o que há

Feras que oferecem sua submissão que param de querer
Feras que brandem as armas.

Fecho o caderno pensativa. Guardo-o cautelosamente na estante, um leve sorriso se desenha em meus lábios. Acho que o caderno preto se derramou pelos cadernos coloridos depois do urso; acho que não vai mais existir caderno preto; acho que isso não é nada de mais. Haverá uma única e mesma história, polifônica, aquela que tecemos juntos, eles e eu, sobre tudo aquilo que nos atravessa e nos constitui.

Volto a me sentar à mesa. Ponho os cadernos de campo ao meu lado, ao alcance das mãos. É hora. Começo a escrever.

FÁBULA: do verbo latino *fari*, "falar", como a sugerir que a fabulação é extensão natural da fala e, assim, tão elementar, diversa e escapadiça quanto esta; donde também falatório, rumor, diz que diz, mas também enredo, trama completa do que se tem para contar (*acta est fabula*, diziam mais uma vez os latinos, para pôr fim a uma encenação teatral); "narração inventada e composta de sucessos que nem são verdadeiros, nem verossímeis, mas com curiosa novidade admiráveis", define o padre Bluteau em seu *Vocabulário português e latino*; história para a infância, fora da medida da verdade, mas também história de deuses, heróis, gigantes, grei desmedida por definição; história sobre animais, para boi dormir, mas mesmo então todo cuidado é pouco, pois há sempre um lobo escondido (*lupus in fabula*) e, na verdade, "é de ti que trata a fábula", como adverte Horácio; patranha, prodígio, patrimônio; conto de intenção moral, mentira deslavada ou quem sabe apenas "mentirada gentil do que me falta", suspira Mário de Andrade em "Louvação da tarde"; início, como quer Valéry ao dizer, em diapasão bíblico, que "no início era a fábula"; ou destino, como quer Cortázar ao insinuar, no *Jogo da amarelinha*, que "tudo é escritura, quer dizer, fábula"; fábula dos poetas, das crianças, dos antigos, mas também dos filósofos, como sabe o Descartes do *Discurso do método* ("uma fábula") ou o Descartes do retrato que lhe pinta J. B. Weenix em 1647, segurando um calhamaço onde se entrelê um espantoso *Mundus est fabula*; ficção, não ficção e assim infinitamente; prosa, poesia, pensamento.

PROJETO EDITORIAL Samuel Titan Jr. / PROJETO GRÁFICO Raul Loureiro

SOBRE A AUTORA

NASTASSJA MARTIN nasceu em Grenoble, em 1986. Estudou antropologia na École des Hautes Études en Sciences Sociales, em Paris, onde se doutorou em 2014, sob a orientação de Philippe Descola, com uma tese sobre os gwich'in do Alasca. Publicada sob o título de *Les âmes sauvages* (Paris: La Découverte, 2016), a tese recebeu o prêmio Louis Castex da Académie Française. Seu livro seguinte, *Escute as feras*, publicado originalmente sob o título de *Croire aux fauves* (Paris: Gallimard, 2019), revisita experiências de 2015, quando Martin realizava pesquisas de campo junto aos evens da península de Kamtchátka, na Sibéria. O livro recebeu o prêmio François Sommer de 2020 por sua contribuição à reflexão sobre as relações entre o homem e a natureza. Seu livro seguinte, *A leste dos sonhos*, lançado na França em 2022, foi publicado no Brasil um ano depois, pela coleção Fábula. Nastassja Martin é membro do Laboratório de Antropologia Social e desde 2020 participa de um comitê contra a degradação turística em La Grave e no maciço dos Écrins, nos Alpes franceses.

SOBRE OS TRADUTORES

Nascida em São Paulo, em 1982, CAMILA VARGAS BOLDRINI é editora, tradutora e ambientalista. Formada em história e jornalismo, especializou-se em questões de colapso socioambiental no Museu de História Natural de Paris. Atualmente, dedica parte de seu tempo à restauração de uma parcela de solo na serra da Mantiqueira.

Nascido em Poços de Caldas, em 1987, DANIEL LÜHMANN formou-se em Letras pela FFLCH-USP e fez mestrado em estudos coreográficos em Montpellier (Université Paul Valéry/ICI-CCN). Como dançarino e coreógrafo, dedica-se às interações entre texto e movimento. Como tradutor, assinou versões de autores como Monique Wittig, Claude Cahun, George Orwell e Paul B. Preciado, entre outros.

SOBRE ESTE LIVRO

Escute as feras, São Paulo, Editora 34, 2021 TÍTULO ORIGINAL *Croire aux fauves* © Éditions Gallimard, outubro de 2019 TRADUÇÃO Camila Vargas Boldrini e Daniel Lühmann, 2021 PREPARAÇÃO Rafaela Biff Cera REVISÃO Mônica Kalil, Nina Schipper TRANSLITERAÇÕES DO RUSSO Danilo Hora PROJETO GRÁFICO Raul Loureiro IMAGEM DE CAPA "Julia, l'ours", Bougy-lez-Neuville, França, 2006 © Alex Majoli/Magnum Photos/Fotoarena ESTA EDIÇÃO © Editora 34 Ltda., São Paulo; 1ª edição, 2021; 1ª reimpressão, 2022; 2ª reimpressão, 2022; 3ª reimpressão, 2022; 4ª reimpressão, 2023; 5ª reimpressão, 2023. A reprodução de qualquer folha deste livro é ilegal e configura apropriação indevida dos direitos intelectuais e patrimoniais do autor. A grafia foi atualizada segundo o Acordo Ortográfico da Língua Portuguesa de 1990, que entrou em vigor no Brasil em 2009.

CIP — Brasil. Catalogação-na-Fonte
(Sindicato Nacional dos Editores de Livros, RJ, Brasil)

    Martin, Nastassja, 1986
    Escute as feras / Nastassja Martin;
    tradução de Camila Vargas Boldrini e Daniel Lühmann —
    São Paulo: Editora 34, 2021
    (1ª Edição), 2021; (1ª Reimpressão), 2022.;
    (2ª Reimpressão), 2022; (3ª Reimpressão), 2022;
    (4ª Reimpressão), 2023; (5ª Reimpressão), 2023
    112 p. (Coleção Fábula)

    ISBN 978-65-5525-082-4

1. Narrativa francesa. 2. Antropologia.
I. Boldrini, Camila Vargas. II. Lühmann, Daniel.
III. Título. IV. Série.

CDD – 843

TIPOLOGIA Garamond PAPEL Pólen Natural 80 g/m^2
IMPRESSÃO Edições Loyola, em dezembro de 2023 TIRAGEM 10 000

editora 34
Editora 34 Ltda. Rua Hungria, 592
Jardim Europa CEP 01455-000
São Paulo — SP Brasil
TEL/FAX (11) 3811-6777
www.editora34.com.br